Daniela Pizzagalli

# LA DAMA CON L'ERMELLINO

Biblioteca Universale Rizzoli

Proprietà letteraria riservata
© 1999 RCS Libri S.p.A., Milano

ISBN 88-17-10713-1

*prima edizione BUR SAGGI: luglio 2003*

# CAPITOLO I

# IL QUADRO, I SIMBOLI

L EONARDO, LUDOVICO IL MORO, MILANO: come nei vertici di un triangolo magico propiziato da un'irripetibile congiunzione astrale, la combinazione tra la versatilità del genio, l'orgoglio del principe e il pragmatismo della città ha sprigionato una forza creatrice dai riverberi inesauribili.

Nel 1482 il maestro, pronto a sviluppare i suoi interessi tecnici e scientifici, deluso dall'indifferenza di Lorenzo il Magnifico, cercava per sé una città come Milano e un protettore come il Moro.

La versione tradizionale, accreditata dal Vasari, che Leonardo si presentasse alla corte come inventore di uno strumento musicale di nuova concezione non sembra plausibile: quello sarà stato tutt'al più un dono offerto per suscitare la curiosità di Ludovico, notoriamente appassionato di musica e avido collezionista d'ogni rarità.

Ben diverso era il ruolo che Leonardo intravedeva per sé nella potente capitale del ducato sforzesco: «Posso costruire bombarde comodissime e facili da portare... farò carri coperti, sicuri e inoffensibili i quali, entrando con le loro artiglierie in mezzo ai nemici, travolgeranno anche le moltitudini più compatte» proclamava nella lettera in cui offriva al Moro la propria collaborazione. Solo in ultimo vantava i suoi meriti artistici: «Credo di non essere inferiore a nessuno in architettura... Farò inoltre in scultura... e in pittura, ciò che si può fare, a paragone di ogni altro, e sia chi vuole».

Le proposte di Leonardo, il quale evidentemente giungendo nella ricca Milano aveva intenzione di occuparsi di un settore molto remunerativo, erano di ordine economico e politico. Il discorso sulle nuove armi muoveva dalla rinomanza di Milano come città di punta nella produzione di armi tradizionali in Europa: con la tecnologia d'avanguardia progettata da Leonardo avrebbe potuto sbaragliare ogni concorrenza anche nel settore dell'artiglieria.

Inoltre, poiché Ludovico deteneva il potere usurpandolo al nipote, segno di una smodata ambizione che non prospettava una politica pacifica, Leonardo, dimostrando di aver già intuito il destino di guerra che sovrastava lo stato sforzesco, suggeriva al duca di investire nell'esercito e nella difesa.

Il Moro non seppe valutare adeguatamente quelle indicazioni che avrebbero forse potuto evitargli la disfatta, e Leonardo si trovò ingaggiato come pittore per una pala sul tema dell'Immacolata Concezione commissionata dall'omonima Confraternita per una cappella nella chiesa di San Francesco Grande, tema che il maestro avrebbe interpretato a modo suo, realizzando la *Vergine delle Rocce*.

Mentre attendeva all'opera, Leonardo coltivava anche i rapporti con i potenti; umanista autodidatta, lettore di classici, vedeva nella corte un nuovo Olimpo, dove poteva incantarsi davanti allo splendore delle vesti e dei gioielli, e coltivare i propri interessi poliedrici incontrando uomini di scienza come Gerolamo e Pier Antonio Marliani, figli del celebre matematico Giovanni, e tecnici, ingegneri, architetti del calibro di Bramante.

Testimonia la frequentazione del Castello il suo primo ritratto milanese, quel *Musico* in cui alcuni ravvisarono il celebre maestro di cappella del Duomo, Franchino Gaffurio, ma che, più probabilmente, raffigura il compositore fiammingo Josquin des Prés, attivo nella cappella ducale fino al 1484. Infatti sulla pergamena mostrata dal soggetto si legge una partitura musicale tratta dal mottetto *Illibata Dei Virgo nutrix* in cui le iniziali degli incisi formano il nome di Josquin.

Nel *Musico* di Leonardo traspaiono suggestioni suscitate dalla contemplazione di almeno un ritratto «cavato dal naturale» di Antonello da Messina, che nel 1476 era stato invitato a Milano dal duca Galeazzo Maria Sforza su suggerimento del fratello Ludovico: l'incisività strutturale del volto è però tutta leonardesca, frutto di particolareggiati studi anatomici.

Nel suo *Libro titolato de figura umana* Leonardo esortava ogni pittore a descrivere «la natura di tutti i membri. De' nerbi che alzan le spalle/ e che alzano la testa/ e che l'abbassano/ e che la girano/ e che la piegano in traverso». E aggiungeva: «Scrivi che cosa è anima».

Combinando le conoscenze anatomiche con la dimensione psicologica, Leonardo inaugurava uno stile pittorico caratterizzato dallo stretto rapporto fra il movimento del corpo e lo stato d'animo: «Tutti quelli che fan professione di ritrarre volti di naturale – teorizzava nel suo *Trattato della pittura* del 1492 – devono osservare che li movimenti sieno annunziatori del moto dell'animo».

Se il *Ritratto di musico* è un primo antecedente della *Dama con l'ermellino*, quello più immediato è l'angelo della *Vergine delle Rocce*. L'opera, commissionata nel 1483, fu conclusa tra l'86 e l'89, cioè poco prima del ritratto di Cecilia Gallerani. L'atteggiamento dell'angelo, che si volta ad attirare l'attenzione dello spettatore, è stato studiato da Leonardo in un disegno preparatorio: un ritratto di fanciulla, forse uno schizzo di Cecilia Gallerani, come hanno pensato alcuni notando una somiglianza con la *Dama con l'ermellino*.

Il ritratto della giovanissima amante di Ludovico il

Moro, eseguito tra il 1489 e il 1490, costituisce un ulteriore passo avanti nel nuovo stile leonardesco: il complesso schema formale, i movimenti fissati come in un'istantanea, rimandano un'immagine viva e pensante. È veramente, come lo definisce Gould, «il primo ritratto moderno».

L'attuale aspetto del quadro impedisce purtroppo di valutare appieno l'articolazione nello spazio del corpo della donna, perché lo sfondo è stato ridipinto uniformemente di nero, ma aggiornati studi scientifici hanno provato che lo sfondo originale era di un grigio azzurro sfumato, più chiaro sul lato destro della figura, più scuro su quello sinistro, in ottemperanza alle indicazioni del *Trattato della pittura*: «Per l'aumentazione d'ombre e lumi il viso ha gran rilievo, e nella parte alluminata l'ombre quasi insensibili, e nella parte ombrosa li lumi quasi insensibili. E di questa tale rappresentazione e aumentazione d'ombre e di lumi il viso acquista bellezza».

Parte integrante del quadro è la figura dell'ermellino, che con il suo movimento sinuoso fa da contrappunto a quello della donna. L'avvicinarsi di un personaggio fuori scena fa voltare Cecilia e allarma la bestiola, che si scosta bruscamente, quasi impigliando la zampetta nel vestito di lei, che con le lunghe dita nervose lo trattiene e nello stesso tempo lo accarezza per calmarlo.

Il carattere narrativo della scena fa pensare che Leonardo abbia voluto raccontare una storia. L'ambientazione è quella del nuovo Olimpo in cui si sentiva accolto, e i personaggi non possono che essere dei: la chiave segreta del quadro di Leonardo si trova quindi nel mito, ancestrale culla della memoria dove natura mortale e divina s'incontrano in una pluralità di significati.

Nel ritratto di Cecilia Gallerani l'artista ha rivestito di un volto e di abiti moderni l'immagine della bellezza che attira l'amore di un dio, adombrato nell'animale simbolico. Nella mitologia l'animale è un'emanazione dell'energia creatrice della natura, dai mille volti e dai magici poteri, e non è infrequente che un dio assuma un aspetto zoomorfo per unirsi a una mortale.

Fra i libri di Leonardo figuravano le *Metamorfosi* di Ovidio, dove compare il celebre mito di Zeus che si trasforma in cigno per amare Leda, un tema figurativo ripreso più volte dal maestro negli anni successivi al ritratto della *Dama con l'ermellino*. Novella Leda, anche Cecilia ha un amante che le ha aperto le porte di un mondo favoloso, infinitamente superiore al suo, il quale cela la sua divinità sotto le spoglie di un animale che lo rappresenta.

Il riferimento a Ludovico il Moro doveva apparire trasparente ai cortigiani che avevano accesso al quadro: nel 1488, infatti, lo Sforza aveva ottenuto dal re di Napoli la prestigiosa investitura dell'Ordine dell'Ermellino, concessa solo ai regnanti, come il re d'Inghilterra e il duca di Urbino. In seguito agli screzi con Ferdinando d'Aragona però, dopo il 1490 il Moro dovette restituire quel riconoscimento: il quadro è quindi da collocarsi entro queste due date.

Gli adulatori non avevano perso l'occasione per enfatizzare la portata dell'investitura, e il più loquace fra loro, il poeta di corte Bernardo Bellincioni, prediletto dal Moro per l'ardente piaggeria della sua musa, verseggiava giocando sui contrasti dell'abbinamento: «Tutto ermellino è, se ben un nome ha nero», e ancora: «Italico Morel, bianco Ermellino».

Questa simbologia di tipo politico non era però la prediletta da Leonardo. Egli amava piuttosto attingere a un repertorio allegorico moraleggiante, ricavato dai bestiari medioevali come *Il Fiore di Virtù*, un testo da lui riassunto e commentato nei suoi appunti, anche perché era spesso consultato per ideare imprese e motti, complementi indispensabili alle feste di corte.

Nel *Fiore di Virtù* l'ermellino è citato come emblema

di moderazione e non, come in altri testi, di castità (rappresentata dalla tortora). Annotava Leonardo: «L'ermellino per la sua moderanza non mangia se non una sola volta al dì, e prima si lascia pigliare dai cacciatori che voler fuggire nell'infangata tana, per non maculare la sua gentilezza». Il commento è accompagnato da un disegno che illustra la leggenda riportata dal *Fiore di Virtù*, secondo la quale per catturare l'ermellino basta sporcare di fango l'imboccatura della tana perché in tal modo l'animale rifiuterà di rifugiarvisi per non imbrattare la candida pelliccia. Nello schizzo leonardesco si vede infatti un cacciatore appostato sopra la tana dell'ermellino, che brandisce un bastone mentre l'animale, vedendo infangata la sua via di scampo, si arresta. Sulla bocca dell'ermellino compare un cartiglio che avrebbe dovuto riportare il motto tradizionale: «Potius mori quam foedari» (meglio morire che essere imbrattato), allusivo al valore supremo dell'onore.

La «moderanza», aggiunge Leonardo nei suoi appunti, significa «voler aver modo in tutte le sue cose, schivando sempre il troppo e il poco onestamente». Una virtù che si addice ai sovrani, a imitazione di quella di Dio stesso, che «fe' il cielo e la terra e dispone e ordina tutte le altre cose». Una qualità politica spesso attribuita al Moro e di cui lui stesso amava gloriarsi.

Il disegno leonardesco dell'ermellino doveva probabilmente essere riprodotto su una medaglia, creazione artistica rinascimentale ideata dal Pisanello e dilagata poi come moda in tutte le corti. Caratteristica della medaglia era la corrispondenza tra il personaggio effigiato nel recto e il concetto allegorico a esso attribuito nel verso. In questo repertorio simbolico l'ermellino compare più volte (anche in una medaglia di Pisanello, del 1447), sempre in riferimento alla virtù dei personaggi effigiati.

È facile ipotizzare che la medaglia fosse stata commissionata a Leonardo da Ludovico il Moro; se il progetto sfumò, come tanti altri del maestro, il tema dell'ermellino fu comunque recuperato nel ritratto della Gallerani, che, prendendo spunto proprio dalla medaglistica, inaugura, con strepitosa invenzione compositiva, un nuovo genere figurativo: il ritratto simbolico, destinato a sua volta a diventare un modello ad ampia diffusione.

Nella *Dama con l'ermellino* Leonardo riunisce per la prima volta l'aspetto ritrattistico e quello allegorico in un'unica immagine. L'innovazione sarebbe ancora più complessa se attraverso la figura dell'animale simbolico avesse alluso, come sembra, alla virtù del protagonista occulto, l'autorevole committente, piuttosto che a quella della fanciulla effigiata. La citazione della «moderanza», d'altra parte, non stonerebbe se riferita a una donna colta e universalmente apprezzata come la Gallerani, che potrebbe quindi essere stata accomunata all'amante nell'elogio.

Ma la costellazione dei rimandi non si esaurisce qui: un segnale sembra infatti riferirsi personalmente a Cecilia, quel termine greco *galè*, evocativo del cognome «Gallerani», che significa «donnola, furetto» (e solo per estensione anche «ermellino»), e accontenterebbe quanti sostengono che l'animale ritratto non assomiglia a un ermellino, ma piuttosto a una faina o a un furetto. Però la realistica resa della bestiola selvatica non deve ingannare, infatti la posizione della zampetta «rampante» fa pensare più a una stilizzazione araldica che a una tavola naturalistica.

L'inesauribile gioco dei riferimenti ci fa tornare alla riflessione iniziale: la chiave interpretativa del quadro si trova nel mito, fonte perenne di ogni simbolo. Nella *Dama con l'ermellino* Leonardo vuole esaltare l'arcano potere della bellezza che eleva la donna a un rango divino.

La ridda delle ipotesi attorno ai significati simbolici del quadro è di anni recenti. Le testimonianze dell'epoca, infatti, nemmeno fanno cenno all'ermellino, perché il dipinto era destinato a fruitori perfettamente informati del suo senso recondito: questo silenzio ha impedito per molto tempo l'identificazione del ritratto della Gallerani, di cui esistevano varie prove documentarie, con la *Dama con l'ermellino.*

L'ammirazione e l'interesse dei contemporanei erano tutti concentrati sull'ineguagliabile naturalezza dell'opera:

«Lo ingegno del pittore vole essere a similitudine dello specchio» affermava Leonardo evidenziando il tema, caro alla cultura rinascimentale, della competizione tra arte e natura; tema raccolto anche da Bernardo Bellincioni nel sonetto dedicato appunto al ritratto di Cecilia:

Di che t'adiri? A chi invidia hai, Natura?
Al Vinci che ha ritratto una tua stella;
Cecilia sì bellissima oggi è quella
Che a' suoi begli occhi, il sol par ombra scura.

L'onor è tuo, se ben con sua pittura
La fa che par che ascolti, e non favella.
Pensa, quanto sarà più viva e bella
Più a te fia gioia in ogni età futura.

Ringratiar dunque Ludovico or puoi
Et l'ingegno e la man di Leonardo,
Che a' posteri di lei voglion far parte.

Chi lei vedrà così, benché sia tardo
Vederla viva, dirà: basti a noi
Comprender or quel che è natura et arte.

Il carattere innovativo del dipinto è stato individuato dal poeta, e reso adeguatamente nel verso «... par che ascolti e non favella», riferito senza alcun dubbio al dinamico atteggiamento di Cecilia, che sembra essersi voltata in quel momento al suono di una voce: sicuramente la voce dell'amato, che le suscita un sorriso ai margini delle labbra (l'ineffabile sorriso leonardesco compare ben prima che nella *Gioconda*).

L'augusta presenza di Ludovico, già evocata simbolicamente nell'ermellino, verrebbe così ribadita dalla sua comparsa in scena, sebbene fuori campo. E anche il poeta cortigiano Bellincioni, che sicuramente fu tra i primi a vedere il ritratto e udì i chiarimenti dell'autore stesso o della modella, sebbene non espliciti il significato simbolico illustrato, sottolinea l'importanza del Moro come committente, cui la Natura stessa deve essere grata per aver avuto l'idea di immortalare una simile bellezza.

L'esistenza del ritratto leonardesco della Gallerani è documentata anche da uno scambio di lettere tra Isabella d'Este, moglie del marchese di Mantova Francesco Gonzaga, e Cecilia stessa.

Isabella era ospite assidua alla corte milanese, essendo sorella della moglie del Moro. Questa sua parentela non le aveva impedito di frequentare la colta e spiritosa amante del cognato, detronizzata del resto dopo il matrimonio del Moro con Beatrice d'Este. Probabilmente aveva già avuto modo di vedere il quadro quando la Gallerani abitava ancora al Castello; ma nel 1498, desiderando anche lei di farsi ritrarre, scrisse a Cecilia perché le inviasse il dipinto, che voleva confrontare con dei ritratti di Giovanni Bellini:

«Essendone oggi accaduto di vedere certi belli retracti de man de Zoanne Bellino, siamo venute in ragionamento de le opere de Leonardo cum desiderio di vederle al parangone di queste che havemo; et ricordandone ch'el v'ha retracto voi del naturale, vi pregamo che per il presente cavallaro quale mandiamo a posta per questo, ne vogliati mandare epso vostro retracto, perché ultra ch'el ne satisfarà al parangone, vederemo anche volontieri il vostro volto; et subito facta la comparazione ve lo remetteremo.»

Il fatto che Isabella d'Este non accenni all'ermellino per far capire a quale quadro alluda, conferma che Leonardo, almeno fino ad allora, aveva ritratto Cecilia una volta sola, e non due o tre come alcuni hanno sostenuto. Inoltre riferirsi all'ermellino, che notoriamente simboleggiava il Moro, sarebbe stato poco delicato sia nei confronti del cognato sia per l'attuale posizione coniugale di Cecilia.

Premurosamente tre giorni dopo, il 26 aprile, Cecilia rispondeva usando il deferente «lei» per rivolgersi alla marchesana, la quale si era rivolta invece col «voi» a Cecilia, che apparteneva a una classe sociale inferiore:

«Ho visto quanto la Signoria Vostra mi ha scripto circa al haver caro de vedere il ritratto mio; qual mando a quella, et più voluntiera lo mandaria quanto asimigliasse a me; et non creda già la Signoria Vostra ch'el proceda per difecto del Maestro, et invero credo non se trova a lui uno paro, ma solo è per esser fatto esso ritratto in una età si imperfecta, et io poi ho cambiato tutta quella effigie; talmente che vedere epso et me tutto insieme non è alcuno che lo giudica essere fatto per me. Tuttavolta la Signoria Vostra prego ad haver caro el mio bon volere et non solo el ritratto, ma io sono aparechiata a fare maggior cosa per compiacere a quella, alla quale sono deditissima schiava, et infinite volte me li racomando.»

Erano passati circa dieci anni da quando Leonardo l'aveva ritratta. Nel 1498 Cecilia ha venticinque anni, è già sposata col conte Bergamini e ha due o tre figli. Non sembra rimpiangere i suoi anni trionfali: anzi, definisce «imperfetto» il fisico adolescenziale di allora, e forse si compiace delle floride forme che la maternità le ha conferito.

L'ammirazione per l'amico Leonardo è rimasta inalterata: «Non se ne trova uno a lui paro», ribadisce, e trova divertente che nessuno ormai, vedendo il quadro, possa riconoscerla nella modella.

Isabella il mese successivo restituì il dipinto, e Cecilia le scrisse ancora, il 18 maggio, protestando la massima devozione:

«Non bisognava che la Signoria Vostra usasse con me termine de rengratiare, perché ogni mia cosa, con me insieme, solo alli piaceri di quella. Così La prego a volerne disporre con sicurtà che me troverà, ben ch'io stia in Milano, non manco serva sua che se io stessi in quella sua propria cittade.

Ringratio infinite volte la Signoria Vostra de le humane profferte a me fatte, et ancora ch'io me senta indigna, tuttavolta la vera humanitate de quella mi sforzaria accadendo richiedere come ad una singulare patrona come tengo la Signoria Vostra.»

Il «parangone» fra i quadri si risolse evidentemente a favore di Leonardo, visto che Isabella d'Este gli chiese insistentemente un ritratto: passando da Mantova tra la fine del 1499 e l'inizio del 1500, il maestro disegnerà per lei, su un cartone a carboncino, un tradizionale profilo da medaglia.

Ma Isabella voleva un ritratto proprio come quello di Cecilia: lo commissionò allora al più malleabile Lorenzo Costa, che la immortalò nella stessa posizione della Gallerani, con il vestito rosso, con tanto di collana a sferoidi neri e la catenella in fronte. Invece dell'ermellino, Isabella porta in braccio un cagnolino, simbolo di fedeltà: una variante che ebbe successo nella ritrattistica cinquecentesca.

La bellezza ideale della *Dama con l'ermellino* resterà però ineguagliabile, anche se tutti i maggiori pittori lombardi cercheranno di imitarla, dando origine a un «tipo leonardesco» riconoscibile in tante figure femminili, sacre e profane.

# CAPITOLO II

# ELEGANZA MILANESE

*L*A DAMA CON L'ERMELLINO È UNA PAGINA IMportante della storia del costume: per la prima volta è raffigurato il nuovissimo abbigliamento delle nobili milanesi sul finire del Quattrocento. L'atteggiamento compiaciuto e disinvolto di Cecilia lascia trasparire l'intima soddisfazione di farsi effigiare con quegli abiti che lanciavano una moda e valorizzavano la sua innata eleganza.

S'intuisce nella giovane donna il portamento solenne delle persone alte, e precise indicazioni somatiche confermano questa impressione: l'ovale allungato del viso, il collo affusolato e la mano grande e nervosa indicano una corporatura longilinea, più slanciata della media delle donne lombarde, allora tendenzialmente forti di seno e di fianchi, e per questo bersagliate dal poeta toscano Antonio Cammelli detto il Pistoia, bello spirito della corte sforzesca:

> Belle donne a Milan, ma grasse troppe:
> il parlar tu lo sai, sai che son bianche,
> strette nel mezzo, ben quartate in l'anche,
> paion cappon pastati in su le groppe.
>
> Portan certe giornee e certe gioppe
> che le fan parer ample in petto e anche

basse han le pianelle, vanno stanche,
tutte le più son colme in su le coppe.

Le veste lor di seta e di rasato,
le scuffie d'oro e nel petto il gioiello,
maniche di ricamo o di broccato.

In spalla hanno il balasso ricco e bello,
tutto il collo di perle incatenato,
con un pendente d'intaglio o di niello:
ogni dito ha lo anello.
Quando le vedi poi mangiare ai deschi,
paion tutte botteghe da Tedeschi.

L'abbigliamento partecipava al linguaggio del potere: lo
stesso orgoglioso senso di affermazione che arricchiva le
città di nuovi monumenti, le biblioteche di testi antichi,
le gallerie di splendidi dipinti, moltiplicava i metri di
broccato nelle vesti, le orlava di pelliccia, le faceva scintil-
lare all'inverosimile di fili preziosi e di gioielli.

L'esuberanza rinascimentale era anche espressione car-
nale di gioia di vivere: il legame fra abbondanza, lusso e
sensualità è ben rilevato dal novelliere Matteo Bandello.
«Milano è oggidì la più opulenta e abbondante città d'I-
talia e quella ove più s'attende a fare che la tavola sia grassa e ben fornita. Ella oltre la grandezza sua, che i popoli
di molte città cape, ha copia di ricchissimi gentiluomini
dei quali ciascuno per sé sarebbe sufficiente ad illustrare
un'altra città. E se un centinaio di gentiluomini milanesi
che conosco fossero nel reame di Napoli, tutti sarebbero
baroni, marchesi e conti; ma i milanesi in ogni cosa at-
tendono più a l'essere e al vivere bene che al parere.

Sono poi tutti molto più vaghi delle belle donne, de le
quali assai ce ne sono, e di star continuamente su le pratiche amorose che in altre città. Stanno tanto più su le
amorose pratiche, quanto vi trovano la pastura più grassa

e abbondante, essendo tutte le donne così vaghe degli uomini come essi sono di loro.»

Per questi milanesi voluttuosi e opulenti, vestirsi con sfarzo era un segno distintivo, un marchio di origine: la capitale lombarda era infatti un centro tessile d'importanza internazionale. Oltre alla tradizionale industria della lana, che l'Ordine degli Umiliati aveva promosso fin dal XII secolo, erano molto diffuse le filande di canapa, di lino, di fustagno e di bambagia di cotone.

Nel 1442 il duca Filippo Maria Visconti aveva concesso a un fiorentino di introdurre la manifattura della seta a Milano, e da allora la crescita del settore era stata vertiginosa. Se all'assemblea dei titolari di tessiture di seta nel 1460 avevano presenziato in sessantotto, nel 1467 erano già trecento.

A Milano veniva prodotto uno straordinario assortimento di stoffe seriche: il broccato d'oro o d'argento, il «riccio» e «soprariccio» (che comportava una lavorazione molto sofisticata, a fili non tagliati che formavano degli anellini), il damasco, il velluto liscio o figurato, il terzanello, il raso, il marezzato tabì, lo zettonino, simile al satin, originario della città cinese di Ze-tung, e il leggero zendale usato per le fodere.

C'era una tale richiesta di questi tessuti pregiati da impiegare un'incredibile quantità di operai: i «magistri delle entrate» nel 1475 censivano quindicimila persone addette soltanto alla lavorazione dei velluti.

Erano stoffe costosissime, quindi i negozi non tenevano molto assortimento e lavoravano su ordinazione, anche perché i nobili clienti richiedevano guarnizioni e ricami personalizzati con i propri stemmi e motti araldici, detti «imprese», «livree» (di origine francese, il termine alludeva alla concessione del blasone da parte del signore feudale) o «divise» (cioè spartite in diversi campi o colori, come gli stemmi).

Nemmeno per il duca d'Este Ercole I si riuscì a trovare

tessuto pronto nel quantitativo desiderato: «Ho fatto cercare quante botteghe e fondachi sono in Milano, dove non se trova tanto panno d'oro né d'argento che in tutto sia XII braccia; per chi ne vole la maggior parte sel fa fare a posta – gli scriveva nel 1475 l'oratore ferrarese Giacomo Trotti – Se non haveste avuto tanta fretta se ne havria possuto fare a la divisa vostra de bellissimo a posta d'oro e d'argento che fra un mese serìa stato complìto».

Il valore dei tessuti, dei ricami e delle applicazioni rendeva gli abiti dei preziosi oggetti d'arte che duravano tutta la vita, ed erano i doni più ambiti, dalle donne come dagli uomini. Il Moro regolarmente testimoniava la propria generosità a ospiti e collaboratori regalando vesti di produzione milanese. Riferisce ancora Giacomo Trotti, inesausto informatore di ogni avvenimento della corte sforzesca, nel novembre del 1488: «Al Magnifico messer Simonotto per il suo servitio de Genoa e de Savona lo Ill.mo signor Ludovico fa donare tre turche, l'una de brochato d'oro, l'altra de veluto cremisino, l'altra de raso cremisino cum le sue fodere de zibelini, de lupi cerveri et de dossi. Agli ambasciatori genovesi ha presentato turche de brochato d'oro e d'argento foderate de dossi et a li zentilhomini zoveni che erano cum loro, una turca per ciascuno de veluto cremisino foderata de dosso, et se ne vanno molto lieti satisfacti et contenti benissimo».

La «turca» o «turchesca» era una sopravveste lunga fino a terra, eventualmente anche con lo strascico, aperta sul davanti, che costituiva il complemento elegante dell'abbigliamento maschile. Sotto si portavano abiti corti, per lasciare scoperte le gambe inguainate di calze, spesso di colori spaiati, allacciate al farsetto. Sopra il farsetto veniva indossato uno «zuppone», cioè una giubba che arrivava sopra al ginocchio, con maniche chiuse e fermata in vita dalla cintura, oppure una «zornea» o «giornea», un mantello ampio, disposto a pieghe, con maniche aperte o sen-

za maniche e aperto sui fianchi, anch'esso corto al ginocchio e portato con la cintura.

Ludovico il Moro dava al proprio sfarzoso abbigliamento un tocco di esclusività ideando personalmente motti e
imprese da farsi ricamare sulle vesti, come testimonia
l'immancabile Trotti, scrivendo al duca d'Este nel 1485:

«Lo Ill.mo Signor Ludovico s' è vestito con una bellissima zornea ricamata de perle et de rubiniti et diamantini
et altre gioie, che ha in pecto un ricamo d'oro con due
mani che tene da ogni canto, e cussì de drio in le spalle,
et le lettere dicono: "tale a ti quale a mi"». Il motto in
realtà era di origine viscontea, ma consono al Moro e al
suo carattere rancoroso.

Ancora più originale l'invenzione di tre vesti ordinate
da Ludovico una per sé, una per il nipote Gian Galeazzo
duca di Milano e una per il suo capitano generale e amico prediletto Galeazzo Sanseverino: abiti provvisti di oro-
logi che suonavano le ore, e ricamati con allusivi versi in
spagnolo. La descrizione è sempre del Trotti, datata 1488:

«Voglio che V. Signoria sappia che el Signor Ludovico
molto secretamente fa fare tre zornee de raso cremisino
ricamate de bellissime perle, una per sé, l'altra per il Duca
et la terza per messer Galeazzo da San Severino, tutte ad
una livrea, che è un orologio da sonare le hore cum li soi
campanini, excepto che in quella del Signor Ludovico,
che non vi è, perché non cura che il suo soni, ma che sia
causa di far sonare li altri. Et vi è in cadauna zornea due
versi in spagnolo:

A lo Ill.mo Signore Ludovico: A un que son no fase /
En la obra satisfase
A lo Ill.mo Signor Duca: L'ingegno de tal obrar /
fase este reloge sonar
A lo Ill.mo Signor Galeazzo: Tanto quanto este reloge obrara /
Tanto mas mi gloria cressera.

Molto eloquente il significato di questi versi, soprattutto del distico di Ludovico e del nipote. Il primo rivela la strategia di dissimulazione adottata dal Moro: «Benché non faccia suono, compie la sua opera», e il secondo sottolinea la dipendenza di Gian Galeazzo dallo zio: «È l'ingegno di tale opera che fa suonare questo orologio».

Lo Sforza veicolava volentieri attraverso l'abbigliamento i suoi messaggi politici, occulti ma non troppo: nel 1492, in occasione di una visita della moglie del marchese del Monferrato, tiepido alleato di Milano, il Moro e sua moglie esibivano abiti uguali, su cui appariva un monito a conservare la fedeltà: «Erano il signor Ludovico et la sua consorte ad una livrea medesima, la quale era il caduceo segno de Mercurio, su una giornea su la quale era un capello e sopra d'epso erano tre belissimi balassi (delle gemme simili al rubino, n.d.a.) che significavano il sole, cum una bachetta de perle grossissime che descendeva giù dal capello, cum un serpente da ogni canto de la bachetta et cum le scarpe de Mercurio, cum uno breve che diceva: "Coniungor". La quale livrea haveva facta per la marchesana de Monferrato che doveva venire. Il significato de la qual livrea è che quando Mercurio se congiunge cum uno bono, el deventa bonissimo, ma cum uno cativo et scelerato el deventa cativissimo et sceleratissimo, volendo avisare che se la marchesana o il marchese era congiunto cum lui tamquam cum Mercurio, operando bene gliene resultaria bene, se male, male et pegio».

L'ultimo decennio del Quattrocento portò grandi rinnovamenti nella moda, soprattutto femminile: alla fluidità verticalizzata delle vesti gotiche, che scivolavano aderenti alla figura, venne sostituita la linea opulenta della «camora», una veste tagliata in vita, con una ricca gonna scampanata, la cui ampiezza era spesso sostenuta da un'armatura a cerchi, la «faldia».

Questo accessorio dal successo duraturo, arrivato fino all'immensa crinolina ottocentesca, pare abbia avuto origine da un dramma familiare vissuto nel 1468 alla corte di Castiglia: la moglie del re Enrico IV, Giovanna di Portogallo, lanciò questa moda per mascherare il più possibile una gravidanza adulterina, ragion per cui l'aggeggio fu conosciuto anche come «guardinfante».

L'inquadratura a mezzo busto del ritratto di Cecilia non permette ovviamente di verificare l'ampiezza della gonna della camora, ma mette in evidenza invece un indumento assolutamente inedito: la «sbernia», il mantello indossato asimmetricamente sopra una spalla, che veniva definito «alla spagnola», anche se probabilmente era stato messo in voga alla corte aragonese di Napoli, e introdotto a Milano da Isabella, nipote del re Ferdinando, quando era giunta sposa del duca Gian Galeazzo Sforza, nel febbraio del 1489. Questa circostanza avvalora la datazione del quadro leonardesco appunto in quell'anno o nel successivo, e segnala l'istantanea adesione della corte a ogni nuova moda che permettesse di arricchire e diversificare le fogge degli abiti, sperimentando sempre più clamorosi accostamenti di colori.

La sbernia di Cecilia, di raso turchino foderata in zendale «leonato», un caratteristico giallo fulvo come la criniera di un leone, copre l'attaccatura della spalla sinistra nascondendo da quel lato l'ampia fascia ricamata che decora la scollatura della camora con motivi a intreccio, abbastanza diffusi a quel tempo, definiti «groppi» o talvolta «vincji». Poiché nei disegni di Leonardo ricorre più volte questo motivo decorativo, si è pensato a una sua creazione (e in questo caso il termine «vincji» potrebbe giocare col suo nome d'origine) diventata di moda grazie al suo ascendente.

La manica della sbernia, tagliata longitudinalmente, si apre sulla manica della camora. Mentre le vesti medioevali erano corredate di maniche in tessuti e colori diversi e intercambiabili (un uso talmente universale da essere perpetuato nell'espressione «è un altro paio di maniche»), le camore si portavano di solito con maniche dello stesso tessuto, che però non erano cucite, ma allacciate all'attaccatura con nastri, lasciando fuoriuscire gli sbuffi della candida camicia sottostante, in tela di lino, che se era pregiata veniva da Cambrai. Anche le maniche di Cecilia sono uguali all'abito, in velluto «cremisino», il rosso cupo allora di gran moda, e percorse da tagli sia trasversali che longitudinali attraverso i quali appare la camicia. Nel quadro i vistosi fiocchi neri non sono però del pennello di Leonardo, ma ritocchi successivi.

Di grande attualità anche l'acconciatura della Gallerani, «alla spagnola», ma rivisitata al gusto lombardo: i capelli castani sono divisi al centro in due bande aderenti alla testa e si riuniscono sul dietro raccolti in una lunga coda (detta in milanese il «coazzone») inserita nel «trenzado», una guaina che tratteneva e intrecciava i capelli. Dalla parte destra, una ciocca è stata portata in avanti e passata sotto il mento, un'estrosità non infrequente, documentata in diversi ritratti lombardi dell'epoca, la cui leggerezza è però stata deturpata in questo quadro da un pesante ritocco.

Sul capo, i capelli di Cecilia sono appiattiti da una cuffietta di finissimo velo trasparente, il cui orlo ricamato segue la linea delle sopracciglia, trattenuta dalla «lenza», una striscia trasversale a metà fronte allacciata sul dietro, derivata dalla francese «ferronière», che poteva essere di metallo o di stoffa, da cui spesso pendeva un gioiello.

Raffinata ma senza ostentazione, Cecilia appare ben diversa dalle dame sovraccariche di chili e di orpelli messe in caricatura dal Pistoia, come del resto si addiceva alla sua giovane età (se il ritratto è, come pensiamo, dell'89, Cecilia aveva sedici anni) e alla sua posizione irregolare, di ospite alla corte grazie alla predilezione del Moro ma di fatto estranea all'aristocrazia milanese.

Una scelta di sobrietà anche nell'adornarsi di un solo gioiello, la lunga collana a grani scuri che spicca sul candore del collo, cinta attorno alla gola e poi lasciata pendere, un monile di moda soprattutto fra le «cittelle», le giovani nubili immortalate in diversi ritratti di scuola lombarda.

Sul materiale della collana, infilata a sferoidi neri che sprigionano bagliori dove sono colti dalla luce, si sono fatte diverse ipotesi: c'è chi propende per una pietra semitrasparente come l'ambra nera, conosciuta nella Milano del Quattrocento e importata da Venezia, chi per una pietra traslucida come l'agata, l'onice, o addirittura il corallo nero. Oppure potrebbe trattarsi di grani profumati in pasta odorifera, che erano confezionati in diverse fogge per essere portati sulla persona: nel Rinascimento esplose una mania per i profumi, e i nobili se ne cospargevano letteralmente da capo a piedi, cioè dai cappelli alle scarpe.

Si profumavano i libri, le monete, le cavalcature. In quei tempi di frequenti pestilenze, poi, i profumi erano apprezzati anche come disinfettanti. Per questo lo Sforza, timorosissimo dei contagi, avendo saputo nel 1494 che nel territorio papale s'era diffusa la peste, ingiungeva al suo segretario generale Bartolomeo Calco: «Da qui inanti voi aprireti tutte le littere che se havranno da Roma a noi directe et in manibus propriis et le fareti ben perfumare».

Lo stile di «moderanza» adottato da Cecilia nel quadro potrebbe essere stato suggerito da Leonardo stesso, che nei suoi appunti annoterà: «Non vedi tu isplendenti bellezze della gioventù diminuire di loro eccellenzia per gli eccessivi e troppo culti ornamenti?».

In realtà, i gusti della Gallerani col tempo si evolveranno decisamente verso lo sfarzo e la dovizia: durante i quattro anni della sua permanenza a corte si lasciò contagiare da quel clima competitivo. L'inventario del suo corredo, quando nel 1492 andò sposa al conte Bergamini, ostenta un numero impressionante di sbernie e di camore. Il documento originale è mutilo, manca l'elenco degli altri indumenti, ma possiamo supporre che il resto dell'equipaggiamento fosse in proporzione.

Evidentemente aveva imparato a modulare con perizia il vanitoso linguaggio dei vestiti, la grammatica dell'apparenza.

# CAPITOLO III

# LA FAMIGLIA GALLERANI

NEI PRIMI DECENNI DEL QUATTROCENTO ancora imperversavano in alcune città italiane cruente lotte tra fazioni avversarie che sotto le antiche insegne di guelfi e ghibellini celavano personali rancori e rivalità d'interessi.

Fra i ghibellini che dovettero abbandonare l'inquieta Siena al prevalere dei guelfi, ci fu il giurista Sigerio Gallerani: rifugiatosi nella capitale dei Visconti, propizi al suo partito, vi si sistemò da cittadino attivo, iniziando una carriera di funzionario pubblico. Nel 1435, sotto il duca Filippo Maria Visconti, era tesoriere generale; dopo la metà del secolo, ebbe da Francesco Sforza la patente di questore del magistrato delle Entrate.

Nella prima metà del Quattrocento, quando Sigerio Gallerani arrivò a Milano, la città conservava un assetto architettonico da miniatura gotica: rosse mura merlate, alte torri e campanili a guglia. La cerchia delle mura era stata completata da Azzone Visconti nel 1340, e orlata progressivamente dal sistema di canalizzazione del Naviglio interno.

Lungo quel perimetro di circa sei chilometri si aprivano sei porte principali a due fòrnici affiancati da torri: porta Comasina, porta Nuova, porta Orientale, porta

Romana, porta Ticinese, porta Vercellina, più una decina di porte minori, le «pusterle».

All'interno delle mura le abitazioni erano fittissime: le più modeste, di mattoni, avevano un piano solo, al massimo sopralzato dal solaio (e in questo caso si chiamavano «solariate»), ma c'erano anche ricche case borghesi di due o tre piani abbellite da finestre modanate a calce, con davanzali frangiati di archetti pensili, e in ogni sestiere svettavano torrioni imponenti di palazzi aristocratici. Il reticolo delle vie strette e sghembe convergeva verso il centro cittadino, dove si affiancavano i monumenti del potere religioso e civile.

La piazza del Duomo coincideva con il primitivo nucleo della città. Da duemila anni sorgeva in quel punto un luogo sacro dedicato a una divinità femminile: prima un tempio celtico, poi romano, infine nel IV secolo una chiesa cristiana, dedicata a Santa Tecla. Nel IX secolo, alle spalle di quella prima cattedrale ne fu costruita un'altra, dedicata alla Madonna. Da allora si suddivisero le celebrazioni: dalla terza domenica d'ottobre fino a Pasqua il culto si svolgeva nella cattedrale invernale di Santa Maria Maggiore, per il resto dell'anno in quella estiva di Santa Tecla.

Ma col passare dei secoli la popolazione sentì l'esigenza di radunarsi in un'unica grande cattedrale che fosse il degno emblema di una città non solo ricca e prestigiosa, ma anche la più popolosa d'Europa: si è calcolato, dal computo dei consumi, che Milano in epoca sforzesca contasse circa centocinquantamila abitanti mentre Venezia, sua grande rivale, non più di centoventimila. Roma e Firenze non raggiungevano i settantamila abitanti; le altre città europee, anche Parigi e Londra, al confronto erano dei borghi.

Fu il duca Gian Galeazzo Visconti, alla fine del Trecento, a dare il via ai lavori del nuovo Duomo: si cominciò a costruire attorno alla chiesa di Santa Maria Maggiore, che venne progressivamente inglobata. Per concedere spazio al sontuoso progetto Gian Galeazzo sacrificò addirittura la parte anteriore del palazzo ducale, che sorgeva a lato della cattedrale.

Strutturato in tre grandiosi corpi di fabbrica, il palazzo veniva ancora chiamato dell'Arengo, o Broletto vecchio, in ricordo delle sue origini comunali: alla fine del '200 Matteo Visconti ne aveva fatto la sua residenza, e il figlio Azzone l'aveva trasformato in una superba reggia reclutando i più valenti maestri, come Giotto, che aveva affrescato un salone, detto della Gloria, con i grandi personaggi della storia antica.

Man mano che la costruzione del nuovo Duomo procedeva, la piazza si faceva sempre più angusta, e dal 1458 al 1462 si procedette alla demolizione della fatiscente basilica di Santa Tecla. L'accumulo dei detriti, l'incessante frastuono dei lavori e le crescenti mutilazioni al palazzo ducale finirono per convincere il duca Galeazzo Maria Sforza, dopo il suo matrimonio con Bona di Savoia, avvenuto nel 1468, a trasferirsi nel castello di Porta Giovia.

La fortezza era stata eretta dai Visconti a metà del '300, a cavallo di una porta chiamata ancora col suo nome romano; demolita alla metà del '400 dalla furia iconoclasta dei repubblicani che si erano impadroniti del potere alla morte dell'ultimo duca Visconti; fu poi ricostruita con lungimiranza da Francesco Sforza: con i suoi figli Galeazzo Maria e Ludovico il Moro divenne la reggia più splendida d'Europa.

A poca distanza dal Duomo, in direzione del Castello, si trovava il centro amministrativo e finanziario della città: il nuovo Broletto, dove si tenevano le fila di una dinamica organizzazione commerciale e artigianale che faceva confluire a Milano un flusso ininterrotto di merci: «Tanti mestieri, tante botteghe vi sono qui, di ogni sorta – scriveva nel 1492 un ambasciatore veneziano – quivi si trova di tutte le cose del mondo quasi, perché non c'è cosa alcuna che non vi si lavori, e di ogni cosa si trova».

Il palazzo della Ragione, a pianta rettangolare, sorgeva al centro di una grande piazza chiusa. Al piano terreno, due ampie navate di portici delineavano uno spazio coperto, adatto alle pubbliche riunioni; al primo piano, un immenso salone di cinquanta metri per diciotto, coperto da grandi capriate e affrescato alle pareti, ospitava i Consigli delle autorità.

Attorno al palazzo della Ragione, la piazza era cintata da edifici porticati adibiti a servizi pubblici. Nel lato di levante risiedeva il podestà, con gli uffici e le carceri; contiguo si apriva il portico di Azzone Visconti dove si tenevano le aste pubbliche. Nel lato occidentale stavano il Collegio dei Giureconsulti, il Tribunale di Provvisione e l'Università dei Mercanti, che regolamentava rigidamente l'attività delle Corporazioni di Arti e Mestieri; c'erano poi gli uffici dei magistrati civici come il giudice delle Vettovaglie, quello dei Dazi e quello delle Strade, Acque e Ponti. Sotto i portici si stipavano i banchi di notai, avvocati, cambiavalute, e si tenevano mercati. Nella piazza c'era anche la «pietra dei falliti», sulla quale i bancarottieri dovevano battere le terga rinunciando alle loro proprietà, e non mancavano l'argano e la corda per strattonare i fraudolenti e la gabbia di ferro per rinchiudere i condannati alla berlina. Tra il palazzo della Ragione e il Collegio dei Giureconsulti c'era poi un pozzo pubblico, frequentatissimo, perché scarseggiavano quelli privati.

Il recinto del Broletto, quasi una cittadella nel cuore di Milano, comunicava con le vie circostanti attraverso sei porte che venivano chiamate con gli stessi nomi di quelle delle mura urbane e dei rispettivi sestieri.

Attorno si affollavano le botteghe artigiane delle varie corporazioni, che davano il nome alle contrade. Ancora oggi i nomi di alcune vie, come Spadari, Speronari e Armorari testimoniano l'alto grado di specializzazione raggiunto dalle attività economiche legate alle armi.

In effetti gli elementi portanti del sistema produttivo e commerciale del ducato erano la lavorazione dei tessuti, come si è detto, e del ferro. Quest'ultima comprendeva ogni tipo di minuteria metallica, a cominciare dalle «gugie», cioè gli aghi, che costituivano un vero monopolio milanese sul mercato internazionale. Ma si producevano anche chiodi, fibbie di infinite varietà e finimenti per cavalli, in relazione al notevole volume assunto dal commercio e dai trasporti terrestri.

Il settore degli armamenti restava però, fra le produzioni metalliche, quello di maggior sviluppo e prestigio: l'acciaio lombardo, molto resistente perché ricco di un naturale apporto di manganese, era particolarmente adatto alla lavorazione delle armi e delle armature. Per queste ultime, soprattutto, gli artigiani milanesi avevano sviluppato un vero virtuosismo, dovuto anche ai criteri di suddivisione e specializzazione del lavoro: nella celebre azienda dei Negroni da Ello, detti Missaglia, da dove uscivano le armature per i principi di tutta Europa, anche soltanto alla lavorazione della maglia di ferro erano addetti operai di diverse competenze.

La casa dei Missaglia in via Armorari è un esempio dell'architettura privata in stile gotico della prima metà del '400. Il cortile, con tre arcate a sesto acuto su pilastri ottagonali recanti nel capitello la sigla della famiglia, era chiamato «l'inferno» perché tutto annerito dal fumo delle fucine. Al primo piano si aprivano grandi, ricche finestre incorniciate di terracotta; il primo piano era diviso dal secondo da una larga fascia decorativa in cotto, sopra la quale si appoggiavano finestre più piccole; l'intonaco era graffito e dipinto a vasi, candelabri, stelle, motivi araldici viscontei e sforzeschi; la grondaia era sostenuta da mensoloni di legno.

Poco distante doveva essere la prima abitazione di Sigerio Gallerani, che secondo i documenti trovò casa in pieno centro, sotto la parrocchia di Santa Maria Beltrade, che stava dietro la piazza del Broletto, nel sestiere di porta Comasina.

Questa antichissima basilica, risalente al X secolo, era molto cara ai milanesi che il 2 febbraio di ogni anno vi celebravano la festa della Purificazione, con la processione della Candelora. Sotto la guida dell'arcivescovo una suggestiva sfilata alla luce delle candele si snodava fino al Duomo recando un'arcaica immagine della Vergine chiamata, a ricordo di precedenti riti pagani, «Idea».

Forse infastidito da quella zona trafficata e rumorosa, Sigerio nel 1437 si trasferì in quella che sarebbe rimasta la casa di famiglia, in una strada molto più appartata, vicino alle mura nei pressi di porta Comasina, sotto la parrocchia di San Simpliciano. La chiesa, fondata sembra da sant'Ambrogio come «basilica Virginum» aveva poi assunto il nome del vescovo successore di Ambrogio che vi era stato sepolto: dal nucleo paleocristiano, si era nei secoli trasformata fino ad assumere i solidi caratteri dell'architettura romanica. Nell'annesso convento cluniacense era stato ospite il Petrarca a metà del '300: una garanzia della tranquillità del luogo, poiché il poeta si teneva sistematicamente lontano dalla confusione.

I figli di Sigerio compaiono come membri stimati della comunità di San Simpliciano: Bartolomeo e Fazio Gallerani furono infatti tra i delegati della loro parrocchia quando il duca Galeazzo Maria Sforza, nel 1470, convocò una rappresentanza di cittadini per il solenne giuramento di fedeltà al suo erede Gian Galeazzo, nato l'anno precedente.

Bartolomeo aveva seguito la carriera paterna di pubblico funzionario: nel 1450 era tesoriere della camera straordinaria di Francesco Sforza, e nel '70 collaterale generale di Galeazzo Maria.

Fazio risulta abitare nella parrocchia di San Simpliciano dal 1455, proveniente dal sestiere di porta Orientale. Nel 1467 era referendario della duchessa vedova Bianca Maria, che l'anno dopo gli confermò l'esenzione dalle imposizioni ordinarie e straordinarie concessagli dal marito Francesco. Inviato come ambasciatore a Firenze nel '67, e nel '70 a Lucca, rivestì nel '76 la carica di questore del magistrato delle Rendite ordinarie.

Disponeva di un cospicuo patrimonio terriero in Brianza: il villaggio di Carugate era quasi interamente di ragione di Fazio, che deteneva pure le regalìe feudali. Vi possedeva anche una fattoria, la Cascina Gallerana, e per irrigare queste terre aveva ottenuto concessione dal duca Galeazzo Maria, nel 1475, di condurre un canale detto Roggia Gallerana derivando le acque da sorgenti che scaturivano tra il torrente Lambrone e il lago di Pusiano e introducendole, dopo un breve corso verso sud-est, nel fiume Lambro, in un sito detto Ponte Nuovo.

La concessione ducale comportava anche la donazione di una rodigine d'acqua del Lambro riservata a Fazio e ai suoi eredi, con facoltà d'introdurla nella suddetta Roggia. L'estrazione dell'acqua del Lambro diede origine, vista la difficoltà di regolarne l'afflusso, a controversie, ad esempio con i canonici e i cappellani della Collegiata di Monza, tanto che a un certo punto Fazio si vide sequestrare alcune terre.

Un po' avanti negli anni Fazio Gallerani sposò Margherita de' Busti, appartenente anch'essa a una famiglia di giuristi: suo padre Lorenzo era uno studioso di diritto, suo zio Bernardino un consigliere ducale. La coppia ebbe otto figli: il maggiore, Sigerio, nacque quando Fazio aveva già quarantasette anni, seguirono Ludovico, Giovanni Stefano, Federico, Giovanni Francesco; l'ultimogenito Giovanni Galeazzo nacque nel 1475; c'erano anche due femmine: di Zanetta non si conosce la data di nascita, mentre Cecilia, la penultima, nacque nel 1473.

È difficile stabilire se la famiglia Gallerani fosse considerata nobile: nei documenti non vengono definiti tali, ma, provenendo da un patriziato forestiero, è normale che non fossero annoverati nelle liste dei nobili milanesi. La loro era però indubbiamente una famiglia di notabili, e anche la loro abitazione e il tenore di vita dovevano essere piuttosto elevati.

Nella seconda metà del Quattrocento l'architettura privata milanese cominciava a modellarsi sui criteri classicheggianti applicati al Castello sforzesco e al nuovo ospedale della Ca' Granda dal maestro toscano Filarete, ingaggiato da Francesco Sforza e da lui incaricato di disegnare un'ideale Sforzinda, la città razionale ed elegante sognata dal duca.

Negli anni '70 l'arrivo del Bramante accelerò poi la trasformazione della città secondo i canoni rinascimentali di luminosità e proporzione. La prima opera certa del Bramante a Milano è proprio nell'edilizia privata: a casa Panigarola affrescò otto figure di condottieri armati, a grandezza naturale, disposti su uno sfondo architettonico a nicchie e pilastri dalla sapiente prospettiva, che sembra preannunciare la sua opera successiva, la chiesa di San Satiro, capolavoro che gli assicurò il favore del Moro e con esso la partecipazione a tutte le costruzioni più importanti della città, dal Duomo a Sant'Ambrogio, dal Castello a Santa Maria delle Grazie.

I palazzi privati di famiglie socialmente elevate come i Gallerani presentavano facciate sobrie, la cui eleganza si concentrava soprattutto nei portali, incorniciati da colonne o lesene, provvisti di bizzarri battenti, con picchiotti o martelli in ferro battuto scolpiti a teste di drago che l'artigianato forniva in grande abbondanza e varietà.

I portoni si aprivano su eleganti cortili a logge, le quali potevano girare tutt'intorno o soltanto su due o tre lati, ingentilite da fregi a medaglioni di gusto classico, da volte affrescate o graffite con imprese araldiche.

Le finestre di nuova costruzione abbandonavano il gotico arco acuto per espandersi nella luminosità dell'arco a tutto sesto, fregiandosi, nel tipico gusto lombardo, di decorazioni in cotto e di cornicioni frangiati. All'interno venivano protette generalmente da impannate imbevute di trementina, le «stamegne» e fissate con bullette a telai di legno, ma i più ricchi facevano installare invetriate a piccoli riquadri saldati a stagno, a imitazione delle vetrate del Duomo, le prime introdotte in città.

Entrando nell'appartamento ci si trovava in anticamera, alle cui pareti si allineavano attaccapanni e attacca spade, naturalmente in ferro battuto. Anche i cassoni, che nella duplice funzione di contenitori e sedili erano diffusi in ogni ambiente, a Milano erano spesso rivestiti di ferro intagliato su sfondo di stoffa, più forzieri che mobili. Si valorizzavano infatti i prodotti locali, rinomati nel settore del ferro e in quello tessile, mentre l'ebanisteria era più progredita a Firenze e a Venezia: i mobili milanesi si facevano apprezzare semmai per la praticità.

I soffitti, che potevano essere imbiancati o dipinti, mostravano travetti scoperti, talvolta ornati con carte impresse a motivi floreali o geometrici; nei palazzi più doviziosi incominciavano a comparire i soffitti a cassettoni scolpiti o intarsiati.

Le pareti erano ricoperte di stoffe, più o meno preziose a seconda del tenore di vita; soltanto le grandi famiglie aristocratiche potevano permettersi degli arazzi, a volte richiesti in prestito dal palazzo ducale in occasione di visite importanti. Famosi i grandi arazzi dei dodici mesi commissionati da Gian Giacomo Trivulzio.

Nelle sale, i tavoli erano spesso smontabili, realizzati con assi e cavalletti. Potevano essere dislocati negli angoli dello studio o del lavoro domestico, e all'ora dei pasti, ricoprendoli di tovaglie lunghe fino a terra, se ne allineavano quanti erano richiesti dal numero dei commensali. Questo utilizzo diversificato dello spazio non era insolito nemmeno alla corte ducale: in una lettera del 1474 Galeazzo Maria Sforza diceva di aver fatto togliere un letto da una stanza «per potergli fare consiglio dentro».

Attorno alle pareti erano disposti i sedili che, sempre per sfruttare al meglio lo spazio, spesso erano pieghevoli. «Cadreghe» e «scagni» erano di legno, snodati e con gambe incrociate, ricoperti di cuoio oppure, nelle case aristocratiche, di seta, ornati da balze e frange. Potevano avere schienali intagliati con figure mitologiche o motivi geometrici. C'erano anche sedie quadrate più basse delle altre, chiamate, eloquentemente, «da donna», a dimostrare la posizione d'inferiorità loro destinata.

Una descrizione dei vari tipi di sedie ci viene da una lettera del 1492, scritta dal ferrarese Bernardino Prosperi, incaricato di comprare a Milano delle «scranne de corio», cioè ricoperte di cuoio:

«Le scranne non se trovano facte; ben ho parlato a uno maestro il quale etiam ne serve la Corte et mo ne ha facto parecchie a la Duchessa nostra, ma son galanti et coverte de seta; pur ce ne sono alcune di quelle basse da donna coverte de corio ma hanno li frapponi de seta et de dietro sono dipinte e indorate. Lui, a farmele al modo che vui dicite, tutte de corio cum li frapponi de corio et de bon legname et incavate nelle giunture da homo da bene, me domanda, almeno de le snodate grande, lire sei imperiali. Ne fanno anche con l'appoggio de dietro non de legname ma de corio che consente a la schiena, come fanno le scranne snodate che ne domandano lire tre».

I mobili più imponenti erano le credenze, dove si mettevano in mostra l'argenteria e i pezzi più belli dei servizi da tavola: piatti, vassoi, bacili, saliere, «ovaroli», «cortellere». I manici delle posate d'argento, tra cui figuravano non solo i coltelli ma anche i cucchiai e, sebbene in misura minore, le forchette, erano molto curati, spesso incisi a niello, oppure d'avorio.

L'uso delle forchette è attestato in Italia, in particolare a Milano e a Venezia, fin dalla metà del Quattrocento, con grande stupore dei visitatori stranieri: in Francia, ad esempio, non si diffuse che nei primi decenni del Cinquecento.

Il numero delle credenze era proporzionato alla rilevanza degli oggetti in mostra; ad esempio, nella descrizione di una festa di laurea a Pavia, in casa di un nobile Della Torre, si parla di «nove credenze grandi et altre cariche di argenteria de bella sorte, oltre agli argenti che si adoperavano ad una colatione che fu fatta: che furono belle et somptuose cose da vedere».

Le stoviglie di uso quotidiano si ammassavano invece negli armadi della cucina, insieme a utensili di tutte le forme e misure, alcuni comuni anche oggi, altri ormai desueti come i vari tipi di mortai o le pietre per tritare il sale.

La raffinatezza e l'abbondanza diffuse dal gusto rinascimentale in ogni aspetto della vita riguardava naturalmente anche il cibo. A Milano tradizionalmente si mangiava bene, molto e con inventiva. In un manuale di cucina della metà del Quattrocento, fitto di ricette destinate non a pranzi di corte ma della ricca borghesia milanese, si trova una straordinaria varietà di piatti: zuppe, ravioli, lasagne, arrosti farciti, pasticci elaboratissimi, fra cui uno contenente uccelli vivi che al momento dell'apertura si sarebbero levati allegramente in volo.

Per rendere l'idea di quello che poteva essere offerto agli ospiti in un pranzo privato nella Milano dell'epoca, ricorriamo ancora al poeta cortigiano Pistoia:

Con Marco Nigrisollo ho disinato
come neve era bianca la tovaglia,
un gotto fu la prima victuaglia
di malvatica dolce e il pinochato.

Venne il figlio di Thereo impilotato,
Argo converso, la starna e la quaglia,
quella che caca il mondo su la paglia,
il fratel de' testicoli privato.

Gli poveri abbarati nella ragna
vennero, e quella che, morto il consorte,
il becco, in rivo chiar più non si bagna.

Il figliol della vacca venne in corte,
grasso tra il brodo e 'l caso e la lasagna,
e anime di tegia in prigion morte.

Bacco, di mille sorte,
or in ponente andava, ora in levante,
a chi parea un nanio, a chi un gigante.

Ceres, bianca e prestante,
qui venne, e sugo di tetta vaccina,
bianco sopra le frasche in gelatina.

In zuccar di Messina
eran piantate anime di meloni,
che fur l'ultime nostre imbandigioni.

Finite le ragioni,
satollo il corpo e l'alma consolata,
ci lavammo le man d'acqua rosata.

Per rendere comprensibile il menù, bisogna innanzitutto
decodificarne le metafore e i rimandi.

Il pranzo liricamente descritto dal Pistoia iniziava con
l'aperitivo il cui gusto, contrariamente a quanto si potrebbe pensare, era dolce: malvasia accompagnata da con-
fetti. La prima portata era costituita da cacciagione: fagia-
no arrostito nell'unto conservato nel pilotto (cioè in un
vaso), pavone (le metafore si riferiscono alle *Metamorfosi*
di Ovidio), starna e quaglia, accompagnate da carne di
pecora (la madre del mondo, cioè dell'agnello) e di ca-
strato. Ancora cacciagione abbinata a ovini: uccelletti cat-
turati con le reti e carne di capra. La portata successiva

era di vitello lesso con pasta cotta nel suo brodo, il tutto guarnito con fave cotte nei gusci.

Dopo abbondanti libagioni di vini serviti in bicchieri di dimensioni diverse a seconda della qualità, arrivava in tavola il formaggio: una cagliata servita con panini bianchi. Infine frutta d'importazione: meloni siciliani.

Pur ammettendo che si facesse un solo pasto completo al giorno, non ci si stupisce della diffusione dell'idropisia, una malattia affine alla gotta, determinata da un eccesso di uricemia nel sangue a causa della troppa carne e cacciagione ingerita. Anche Fazio Gallerani ne soffriva, e fu probabilmente la malattia che lo portò alla tomba.

Le maggiori comodità si concentravano nelle camere da letto. Per preservarli dall'umidità, i letti erano sempre elevati su pedane di legno e circondati da panche che servivano da gradini e anche da sedili per i visitatori. Nelle case borghesi i letti erano appoggiati al muro in corrispondenza di una semplice testiera, mentre in quelle dei nobili erano forniti di baldacchini, che potevano essere di due tipi: rettangolari come il letto, sostenuti da colonnine, oppure rotondi, a forma di padiglione, appesi al soffitto, e in questo caso si chiamavano di solito «sparavieri».

La raffinatezza della camera da letto di un palazzo signorile milanese viene così descritta dal novelliere Matteo Bandello: «V'erano quattro materassi di bambagia con le lenzuola sottilissime tutte trapunte di seta e oro. La coperta era di raso cremisino tutta ricamata a fili d'oro, con le frange intorno di seta cremisina mischiata riccamente con fili d'oro. V'erano quattro origlieri lavorati meravigliosamente. Le cortine, lavorate a preziose liste d'oro e cremisino, circondavano il ricco letto. La camera, in luogo di arazzi, era rivestita di velluto cremisino maestrevolmente ricamato, nel mezzo della quale v'era una tavola coperta d'un tappeto di seta, alessandrino. Vi si vedevano poi otto forzieri fatti d'intaglio molto belli, posti intorno alla camera».

Nelle stanze da letto trovavano posto anche i lavabi, pregevoli manifatture degli artigiani del ferro battuto, che avevano ideato un pratico modello di tripode con due piedi allineati, per accostarsi più agevolmente al catino.

A riscaldare le case c'erano ampi camini, ma non tutte le stanze ne erano fornite: si rimediava con bracieri portatili di ferro battuto, su tripodi spesso ornati in estrose volute, veri oggetti d'arredamento.

Per l'illuminazione si usavano torcieri affissi al muro, di ferro o anche di legno, e candelieri di varie fogge e dimensioni, spesso in metalli preziosi. Il gusto fastoso del Rinascimento non sopportava la penombra, e abbondava nelle luci: la domanda di candele di sego s'incrementò a tal punto che nel 1473 il duca promise allettanti incentivi a chi avesse impiantato una nuova fabbrica.

La dimora di Fazio Gallerani doveva essere piuttosto spaziosa per contenere una famiglia numerosa come la sua, con otto figli viventi, non tanto comune nemmeno per l'epoca, perché l'elevata mortalità infantile di solito decimava la prole. Tutti i figli maschi furono avviati agli studi: probabilmente erano seguiti a casa, secondo l'uso, da un precettore che li istruiva nelle arti liberali, ancora tradizionalmente divise tra quelle letterarie del Trivio (grammatica, dialettica e retorica) e quelle scientifiche del Quadrivio (aritmetica, geometria, musica, astronomia).

Può darsi che Cecilia, di intelligenza precoce, avesse mostrato predisposizione per gli studi, ottenendo di essere presente alle lezioni dei fratelli più piccoli.

Lodata come sarà da celebri letterati per le impeccabili composizioni latine e la dolcezza dei suoi versi in volgare, dobbiamo pensare appunto che facesse tesoro delle lezioni ascoltate e approfondisse poi le sue conoscenze attingendo alla biblioteca paterna nella quale, oltre ai trattati di giurisprudenza, non potevano mancare edizioni di classici, romanzi cavallereschi e raccolte poetiche.

Lo si deduce dagli inventari di diverse biblioteche

quattro e cinquecentesche, e dai cataloghi degli editori che a Milano proliferavano, pubblicando soprattutto classici latini, ma anche opere in volgare e trattati sui più disparati argomenti: molto richiesti i libri sui sogni e l'astrologia, segno di un gusto eclettico che conciliava nuovi interessi e vecchie superstizioni.

Fra i nomi degli editori milanesi spicca quello dell'umanista Alessandro Minuziano, che abbandonò i caratteri gotici inaugurando elegantissimi caratteri rinascimentali.

Ai momenti dello studio e della lettura si alternavano quelli del divertimento: il gioco che più appassionava i ragazzi, ma non soltanto loro, era quello della palla, che si giocava con una mazza di legno oppure con un maglio di ferro sottile fermato a un manico, e in questo caso si chiamava «pallamaglio». In Toscana era diffusa una variante in cui era permesso l'uso dei piedi, che già si chiamava «gioco del calcio». Gli attrezzi usati per colpire la palla erano pesanti e potevano provocare incidenti anche gravi: a dodici anni Stefano Gallerani ebbe la sventura di uccidere accidentalmente, nel corso di una partita, un compagno di gioco.

Passatempo più tranquillo e prediletto dalle ragazze, come appare anche in un dipinto di Bernardino Luini, era il «gioco della mano calda»: bisognava indovinare, tenendo la testa nascosta in grembo a una compagna, da chi si veniva colpiti alla schiena.

Vero catalogo dei divertimenti dell'alta società milanese quattrocentesca è il ciclo di affreschi del palazzo Borromeo: sulle pareti della sala a pianterreno, dame e cavalieri immersi in un'atmosfera fiabesca giocano a palla, danzano, siedono ieratici attorno a un tavolo di tarocchi. L'atteggiamento poco infervorato trae in inganno: in realtà si giocava con accanimento e grosse poste.

Il 5 dicembre 1480 l'esistenza dei Gallerani, che abbiamo ipotizzato tranquilla e operosa, fu sconvolta dalla morte del capofamiglia, che aveva sessantasei anni, a causa di una «totale retenzione di urina»: una complicazione dell'idropisia che, come si è detto, affliggeva molti di quei privilegiati sulle cui tavole abbondavano pasticci e cacciagione.

Il primogenito Sigerio, di diciotto o diciannove anni, stava iniziando la carriera legale; il secondo figlio, Ludovico, che sarebbe morto pochi anni dopo, era probabilmente fragile di salute e aveva interrotto gli studi, mentre il terzo, Stefano, iniziava allora a studiare medicina. Gli altri figli erano ancora molto giovani, Cecilia aveva sette anni e il piccolo Galeazzo soltanto cinque.

Fazio venne tumulato, come si usava, in una chiesa: non però nella sua parrocchia, ma a Santa Maria dei Servi, nel sestiere di porta Orientale. Poiché, come si è detto, prima di abitare nella parrocchia di San Simpliciano figurava residente a porta Orientale, è logico supporre che avesse già acquistato uno spazio tombale, forse una cappella, nella chiesa vicina alla dimora precedente.

Nel testamento, redatto il 29 novembre, evidentemente all'aggravarsi delle sue condizioni, Fazio nominava eredi universali i figli maschi, assegnando mille ducati a ciascuna delle due femmine e lasciando alla moglie, che aveva la tutela dei figli, l'usufrutto della maggior parte delle proprietà. Usufrutto che le era assicurato anche nel caso si risposasse: una clausola insolita, che suona come riconoscimento alle ottime doti di amministratrice di Margherita, la quale si trovò peraltro a dover fronteggiare una situazione economica non florida, anche perché una parte delle proprietà era stata confiscata, forse a causa dei già citati contenziosi sui diritti delle acque.

Nonostante le difficoltà Margherita continuò a far studiare i figli: l'istruzione di Cecilia doveva infatti essere appena iniziata alla morte del padre, visto che era una bambina di sette anni, mentre il grado di preparazione culturale da lei raggiunto in seguito attesta lunghi anni di formazione. Niente impedisce di pensare che fosse proprio la madre, proveniente da una famiglia di studiosi e forse lei stessa fornita di istruzione, a incoraggiare il suo talento.

Il privilegio di studiare concesso a Cecilia non esimeva però dal progettare il suo futuro secondo l'inamovibile logica binaria dei destini femminili: matrimonio o convento. Poiché non sentiva alcuna propensione a essere monacata, le si trovò precocemente un partito adeguato.

Il 15 dicembre 1483 fu stipulato un accordo di matrimonio fra Cecilia Gallerani e Stefano Visconti. Non si trattava di un'illustre parentela: il cognome Visconti infatti era stato concesso per secoli come gratifica per servizi resi alla dinastia, e a Milano erano in molti a potersene fregiare, pur senza quarti di nobiltà. Lo sposo, figlio di un defunto Francesco Visconti e di Ginevra Corti, al momento dell'accordo risultava ventiquattrenne, mentre la sposa era nel suo undicesimo anno. Il matrimonio sarebbe stato celebrato quando Cecilia fosse entrata nel tredicesimo anno, età legale minima concessa dallo stato e dalla Chiesa.

Nel contratto matrimoniale di Cecilia era fissato anche l'importo della dote: tra le quattromilaottocento e le seimilaquattrocento lire imperiali. La divaricazione tra le due cifre indica che non era ancora stata stabilita l'entità del corredo, parte del quale veniva solitamente calcolato a scomputo della dote. Nel marzo del 1474 si sarebbe dovuto versare un primo acconto di duemilacento lire; entro lo stesso anno si sarebbero dovute pagare altre milleduecento lire, parte delle quali sarebbero state destinate dallo sposo all'acquisto di gioielli «pro ornatu dicte domine Ceciliae». Era consuetudine che dalla dote venisse tratta una somma con cui acquistare quelli che sarebbero diventati i gioielli «di famiglia»: da esibire nelle cerimonie come indice di posizionamento sociale, da lasciare in eredità ai figli o anche da impegnare per superare i momenti difficili.

Risulta solo un versamento di settecento lire, probabile segno di difficoltà economiche da parte dei Gallerani; mancano altre notizie fino al giugno 1487, quando Cecilia avrebbe dovuto essere già sposata: invece intentò una causa presso il tribunale ecclesiastico contro Stefano Visconti (che si fece rappresentare dal sacerdote Giulio Morosi) per ottenere lo scioglimento del vincolo nuziale.

Se ne ignorano le motivazioni, ma non si può escludere che le famiglie non fossero in grado di provvedere alle enormi spese che un matrimonio comportava. Il rinnovato statuto milanese del 1498, infatti, prescrivendo più severe leggi suntuarie, rilevava la costante diminuzione dei matrimoni dovuta alle spese eccessive che impoverivano le famiglie e distoglievano i giovani dall'accasarsi: da qui l'intervento per limitare l'entità dei corredi e dei festeggiamenti. Quanto all'annullamento del matrimonio Visconti-Gallerani, fu evidentemente concesso, visto che il nome di Stefano non compare più accanto a quello di Cecilia.

Dopo questo evento, per due anni il percorso di Cecilia rimane sotterraneo, per riemergere con un significativo cambiamento: un documento del maggio 1489 rivela infatti nuove circostanze.

Si tratta di una petizione, firmata da Cecilia e dai suoi fratelli (non vengono citati Ludovico e Zanetta, presumibilmente defunti), affinché la famiglia potesse rientrare in possesso delle proprietà confiscate dallo stato quando era ancora vivo Fazio Gallerani.

Cecilia non era un'erede diretta ma aveva diritto al lascito di mille ducati promessi nel testamento paterno che non erano ancora stati versati, dunque il suo interesse nella causa era legittimo. Nel documento l'età di Cecilia risulta di «circa quindici anni»: infatti, essendo nata nel 1473, nell'89 ne avrebbe compiuti sedici.

L'elemento importante e rivelatore sta negli indirizzi dei firmatari: a differenza dei fratelli, domiciliati nella dimora di famiglia presso la parrocchia di San Simpliciano, Cecilia risulta abitare nella parrocchia del Monastero Nuovo.

Non è probabile che fosse stata affidata alle suore per completare la sua educazione, dato che i suoi interessi di latinista e poetessa non erano certo incoraggiati dal tipo di istruzione impartita in convento; bisogna invece pensare a una sua sistemazione indipendente. Se una ragazza di buona famiglia, giovanissima e nubile, si allontanava dalla casa paterna per vivere da sola, la ragione non poteva essere che una: un autorevole protettore aveva assicurato il suo futuro.

Il fatto che nella petizione dell'89 risulti già il nuovo indirizzo di Cecilia, farebbe pensare che la relazione con Ludovico Sforza fosse già avviata, e i fratelli avessero approfittato della circostanza per presentare la loro richiesta.

In questo caso resta da spiegare come Cecilia e il Moro avrebbero potuto incontrarsi, visto che nessuno della famiglia Gallerani, dopo la morte di Fazio, risulta avesse incarichi a corte.

Ma si può avanzare l'ipotesi che proprio la petizione avesse favorito il fatidico incontro: i fratelli Gallerani avrebbero potuto presentarsi a una delle udienze pubbliche che il Moro concedeva in Castello due giorni alla settimana, documentate a partire dal 14 novembre 1480.

Può darsi che Sigerio stesso, il legale di famiglia, avesse escogitato di far parlare la dotta e tanto avvenente Cecilia per attirare l'attenzione dello Sforza e ottenere così maggiore interessamento alla loro causa, che ormai da anni giaceva inevasa.

L'effetto del suo stratagemma andò oltre le previsioni, se troviamo Cecilia sistemata nell'appartamento che si è detto, presso il Monastero Nuovo, e poi addirittura al Castello.

La petizione del maggio 1489, in cui Cecilia risulta già

domiciliata presso il nuovo indirizzo, farebbe quindi seguito a quella esposta direttamente al Moro durante l'udienza, e inoltrata ufficialmente quando già si era certi della protezione del duca, che in effetti ordinò la restituzione delle terre ai Gallerani. I fratelli non versarono però a Cecilia i mille ducati dovuti, forse anche perché in quel momento lei non pensava a reclamarli, abbagliata dalla strabiliante esistenza che le si schiudeva davanti.

Il favore di Ludovico venne ancora messo alla prova un mese dopo, nel giugno del 1489, quando Sigerio Gallerani uccise il medico Francesco Taverna. Non soltanto non risulta che sia stato in alcun modo punito, ma lo Sforza personalmente intervenne presso la famiglia Taverna, una delle più cospicue di Milano, esortando alla rappacificazione col Gallerani. Un'iniziativa assolutamente inusuale da parte di Ludovico, pur pensando che l'omicidio fosse stato involontario o in qualche modo provocato; era noto infatti che il Moro teneva a restare sempre al di sopra delle parti, e anche quando veniva chiamato ad arbitrare dispute di corte, richiedeva l'intervento di competenze esterne per non essere sospettato di favoritismi.

L'anno dopo, ecco nuove tracce di raccomandazioni: nel novembre del 1490 il quindicenne Galeazzo Gallerani ottenne la prepositura della chiesa di San Vittore in Casorate, e nel '91 risulta arciprete a Scandellera, nel Cremonese, presso la chiesa dei Santi Faustino e Giovita. La sua carriera ecclesiastica però s'interruppe, perché qualche anno dopo preferì sposarsi.

Al contrario il fratello medico, Stefano Gallerani, da laico si fece prete, entrando nell'Ordine degli Umiliati: nel 1492 era «prepositus» del monastero dei Santi Pietro e Paolo a Monforte. Nel 1499 venne a galla quel suo peccato di gioventù, quando aveva accidentalmente ucciso un compagno durante una partita a palla, e dovette chiedere il perdono ufficiale alla curia milanese.

Lontana ormai dal mondo dei fratelli, Cecilia si trova

proiettata nel centro della vita mondana e culturale di una delle corti più brillanti d'Europa, in un ambiente dove i suoi gusti intellettuali e raffinati potevano liberamente esprimersi. Era il clima più confacente al suo temperamento: anche quando si sarà eclissata la sua stella alla corte sforzesca, saprà ricostruirsi una piccola ma pregevole corte, vivendo sempre circondata da artisti e studiosi.

# CAPITOLO IV

# LA CORTE SFORZESCA

AVEVA TRENTASEI ANNI ED ERA ALL'APICE del potere, Ludovico Maria Sforza, quando incontrò Cecilia Gallerani, di vent'anni più giovane. Bruno di occhi e di capelli, olivastro di carnagione, tanto da guadagnarsi quel soprannome di Moro che avrebbe sfruttato con intenti propagandistici; naso aquilino e labbra sottili, in contrasto col viso carnoso e la tendenza al doppio mento che gli conferiva un'aria gioviale: una fisionomia che all'ambasciatore fiorentino Pandolfini parve il riflesso «di bona e dolce natura».

Ma la sua personalità era molto più complessa e contraddittoria. L'oratore ferrarese Trotti, che ebbe modo di seguirlo da vicino per molti anni, lo giudicò: «Mala natura, poca constantia, manco di fede; mendace, vendicativo, avarissimo, senza vergogna, alieni appetens (avido delle cose altrui)».

Bernardino Corio, lo storico milanese che visse alla corte fino alla disfatta del ducato, scrisse: «In lui appariva tale maestà che sembrava precedesse le altre; modesto nel parlare, dissimulava le cose presenti, aspettava le occasioni per vendicarsi, non si lasciava trasportare dalla collera».

Ludovico Maria era il quinto, in ordine di nascita, dei figli di Francesco Sforza e di Bianca Maria Visconti, fondatori, nel 1450, della nuova dinastia assurta con le armi al potere su Milano. Nel 1447, dopo la morte dell'ultimo duca Filippo Maria Visconti, i milanesi avevano riscoperto antichi ardori comunali creando l'Aurea Repubblica Ambrosiana, sopravvissuta per tre burrascosi anni ma poi cancellata dalla forza e dalla strategia del condottiero Francesco Sforza.

Sposato alla colta, intelligente e avveduta Bianca Maria, unica figlia del duca, legittimata anche se figlia naturale, Francesco Sforza aveva potuto, grazie a questa parentela, se non accampare diritti ereditari, perlomeno proporsi come un continuatore della signoria, e come tale si accaparrò molti fiancheggiatori fra gli aristocratici, che favorirono al momento buono il suo ingresso in Milano, presentandolo al popolo non tanto come il conquistatore che aveva duramente assediato la città, quanto come il salvatore dal disastro economico e dalla carestia in cui erano precipitati per l'insipienza del governo repubblicano.

Francesco Sforza non ottenne l'investitura ducale dall'imperatore: non voleva sottoporre le esauste finanze dello stato al gravissimo esborso richiesto, e si accontentò di essere consacrato duca per acclamazione popolare. Una soluzione suscettibile però di possibili contestazioni.

Prospero e solido fu lo stato costruito da Francesco, sagace ispiratore di un sistema di equilibrio, la Lega Italica, che assicurò la pace tra gli ambigui e rissosi signori della penisola. Alla sua morte, nel 1466, fu il primogenito Galeazzo Maria a ereditare il ducato, e lo resse per dieci anni, adeguandosi sostanzialmente alla politica paterna, pur mancando di un disegno strategico di vasto respiro.

Il dominio di Galeazzo Maria fu soprattutto di immagine: smanioso di lusso e di divertimenti ma anche amante dell'arte, fondò una cappella musicale di prim'ordine. Prodigale mecenate, favorì gli studiosi e fu seguace di Francesco Filelfo, per quarant'anni al centro della vita culturale milanese, divenuta di grande richiamo per i più celebri umanisti. Paradossalmente, venne proprio da questo ambiente erudito lo stimolo che provocò la morte del duca. Il retore Cola Montano, con i suoi discorsi classicheggianti d'intonazione libertaria e antitirannica, esercitò una notevole influenza sui giovani milanesi: tre suoi discepoli, particolarmente infiammati, si sentirono spinti all'azione e, il 26 dicembre 1476, trucidarono il duca.

A Natale il ducato era stabile e tranquillo; al Castello Galeazzo Maria con la moglie Bona e i figli Gian Galeazzo, Hermes, Bianca Maria e Anna, avevano fatto festa col tradizionale rito del «ciocco», un tronco adornato di lauro e ginepro messo a bruciare nel camino.

Il mattino dopo, giorno di santo Stefano, c'era la messa solenne nella chiesa omonima, una delle più imponenti e antiche di Milano, situata nel vasto terreno verdeggiante dietro l'arcivescovado. A ricordo delle cruente lotte che nel V secolo imperversavano a Milano fra ariani e cattolici, il pavimento della chiesa conservava uno strano bassorilievo a forma di ruota, con la scritta «rota sanguinis fidelium»: secondo la leggenda, era una traccia lasciata miracolosamente dal sangue di alcuni cattolici massacrati dagli ariani.

Il Corio afferma che il duca arrivò in ritardo, indeciso fino all'ultimo se partecipare alla cerimonia; vestito con il consueto sfarzo, aveva preferito togliersi la corazza «per non parer troppo grosso». Entrò a fatica per la gran folla che si accalcava, e non arrivò nemmeno all'altare: trafitto a pugnalate, sparse il suo sangue forse proprio sulla funesta impronta della ruota.

Dei tre congiurati, due furono subito presi e linciati, l'altro riuscì a scappare ma fu denunciato dal suo stesso padre e finì giustiziato.

La loro avversione nei confronti di Galeazzo Maria non sembrerebbe ingiustificata alla luce delle colpe di lui, elencate scrupolosamente con richiesta di assoluzione al papa Sisto IV dalla vedova Bona di Savoia, angosciata che la morte improvvisa gli avesse impedito il pentimento: «Guerre lecite e illecite, saccheggi, ruberie, estorsioni ai sudditi, negligenza di giustizia, ingiustizia scientemente fatta, nuove imposizioni di gabelle anche a carico di chierici, vizi carnali, simonie notorie e scandalose, ed altri vari e innumerevoli peccati... »

Oltre che della salvezza spirituale del marito, Bona si preoccupò di salvaguardare il potere per il figlio Gian Galeazzo, di appena otto anni, e assunse la reggenza, coadiuvata dal ministro Cicco Simonetta, inflessibile pilastro della dinastia fin dai tempi di Francesco Sforza. Si pensò subito di potenziare le difese del Castello: dal 12 gennaio s'incominciò a innalzare nell'angolo sud ovest la torre che prese il nome da Bona, a guardia dell'accesso alla Rocchetta.

Ma più che dall'esterno, le minacce venivano dall'interno, rappresentate dagli avidi fratelli del duca assassinato, soprattutto Sforza Maria duca di Bari, Ludovico e Ascanio, ecclesiastico in carriera e non meno ambizioso degli altri: accusati di complotto contro il piccolo duca e la reggente, furono mandati in esilio.

Nella gestione del potere a Bona di Savoia era però consentita poca autonomia, perché in effetti a governare era l'onnipotente Cicco Simonetta, che ostacolava le manovre di lei, soprattutto quando la duchessa volle innalzare eccessivamente il suo «camarero» ferrarese Antonio Tassino, da cui era diventata inseparabile.

Intanto Ludovico, divenuto per la morte del fratello Sforza Maria nuovo duca di Bari, dal suo esilio di Pisa scriveva a Lorenzo il Magnifico perché non lo lasciasse «a perdere la sua zoventude» e lo aiutasse a ritornare nelle buone grazie della cognata; ma il Simonetta si opponeva strenuamente, tanto che Ludovico decise di marciare su Milano con le armi, facendosi precedere da un proclama al popolo nel quale affermava di agire «per liberare quelli illustrissimi signori nostri duchessa et duca de la oppressione ne la quale si trovano, et tutti voi de la tirannia de Cecco, pigliando el governo de mano nostra, come ogni rason divina et humana vole».

Invano il Simonetta sollecitò la duchessa a non venire a patti con Ludovico: «A me sarà tagliato il capo e Voi, in processo di tempo, perderete lo Stato». Bona ascoltò invece i consigli del Tassino, che odiava il severo ministro e per silurarlo patrocinò la causa di Ludovico, introducendolo segretamente negli appartamenti della cognata. Sperimentato manipolatore, il Moro seppe convincerla e il 7 settembre 1479 Bona annunciava ufficialmente la rappacificazione: «Richiesto da noi partette da campo e venne subito a la obedientia nostra con tanta humanità et reverentia quanto dire se possa, et da noi è stato recolto in grandissima charità et affection».

Il ventisettenne duca di Bari fu presto arbitro del potere; già il 10 ottobre scriveva l'ambasciatore fiorentino Pandolfini: «Il governo è ormai tutto ridotto in Ludovico».

Se il Tassino sperava nella riconoscenza del Moro, fu ben presto disilluso: il suo spadroneggiare a corte approfittando dell'ascendente che esercitava sulla duchessa gli aveva creato molti nemici, i quali indussero lo Sforza a mandarlo in esilio.

Cicco Simonetta, come aveva previsto, fu arrestato, processato per tradimento e il 30 ottobre del 1480 decapitato nel castello di Pavia. Si avverarono anche i suoi pronostici sulla sorte della duchessa, contro la quale Ludovico aveva subito predisposto una trappola: nel febbraio del 1480 cominciò a far circolare la voce che volevano avvelenarlo, poi si scoprì un complotto contro la sua persona, e fra i colpevoli vennero indicati il segretario e il medico di Bona. Accusata di connivenza, la duchessa fu privata ufficialmente della tutela del figlio e della reggenza dello stato, e il primo novembre fu costretta a ritirarsi, fornita di una cospicua buonuscita, nel castello di Abbiategrasso.

Il giovanissimo duca di Milano, già conquistato dall'energico e cordiale zio, o «barba», come si diceva in milanese, al quale per tutta la vita tributerà il più devoto affetto, non ebbe difficoltà a disporre: «Essendosi partita l'illustrissima Madonna mia madre, voglio che il signor Ludovico, mio barba, sia mio tutore».

Agguantato quel potere che la nascita gli precludeva, ma al quale aveva votato fin da giovanissimo tutto se stesso, Ludovico non intendeva certo conservarlo per il nipote, e si mise all'opera per assicurarsi delle alleanze che rafforzassero la sua posizione: la prima carta da giocare era senz'altro il matrimonio.

In quanto cadetto, la sua scelta avrebbe dovuto orientarsi su damigelle della nobiltà minore, ma come reggente dello stato poteva alzare la mira. Scrisse nell'aprile del 1480 al duca d'Este chiedendo la mano della sua primogenita Isabella, che aveva allora sette anni. Proprio in quei giorni Ercole I aveva promesso la figlia a Francesco Gonzaga, erede del marchese di Mantova: gli propose in cambio la seconda, Beatrice, che aveva cinque anni. Il contratto fu stipulato velocemente e ratificato a Milano il 19 giugno.

Non era l'unico progetto di matrimonio fra Milano e Ferrara: nel 1477 infatti, Bona aveva promesso la sua figlia minore, Anna, di quattro anni, all'erede estense, Alfonso, che aveva pochi mesi.

Anche per il giovane duca di Milano era stato predisposto un contratto matrimoniale: fin dal 1472, quando Gian Galeazzo aveva solo tre anni, suo padre aveva programmato di fargli sposare Isabella d'Aragona, figlia di Alfonso di Calabria, erede al trono di Napoli, e di Ippolita Sforza, sorella dello stesso Galeazzo Maria. Trattandosi di primi cugini, s'era chiesta – e facilmente ottenuta – la dispensa al papa Sisto IV. Il 30 aprile 1480, dopo reiterate richieste aragonesi, il contratto fu ratificato nel castello di porta Giovia.

Sedata ogni opposizione all'interno, Ludovico si inserì nell'irrequieta giostra degli stati italiani, divisi in due schieramenti: da una parte Firenze, Napoli e Milano, appoggiati dagli stati minori dei Gonzaga e degli Este, dall'altra Venezia appoggiata dal papa.

Bloccato per il momento il pericolo turco con la morte di Maometto II, avvenuta nell'81, Venezia aggredì il duca d'Este per spartirsi col papa Sisto IV i suoi territori. Ludovico portò soccorso al futuro suocero: al campo di Revere, nel maggio del 1482, ebbe modo di incontrare l'oratore ferrarese Giacomo Trotti, che per tredici anni lo avrebbe seguito come un'ombra, raccontando al suo signore ogni fatto e misfatto della corte sforzesca.

La prima impressione del Trotti sullo Sforza è decisamente favorevole: «Non vuole lassare cosa al mondo per vincere, et non potereste credere quanto è caldo a questa impresa (...). Il signor Ludovico mi pare sapientissimo et molto circumspecto».

Questa cautela non giocherà a favore degli alleati: infatti nel 1484 lo Sforza concluse una pace separata con i veneziani, suscitando ovviamente l'ira e il disprezzo di Ferrara. Il Trotti sembrò aver cambiato radicalmente il suo parere su Ludovico: «L'è in superlativo pusillanime da non fidarsene proprio, né da fare in lui minimo fondamento se non giorno per giorno; non vuol bene a persona, se non per paura ovvero per bisogno».

Ludovico da parte sua mostrava all'anziano oratore ferrarese molta simpatia, ma qualche volta si divertiva a fargli degli scherzi, come durante il carnevale del 1485, quando gli capitò improvvisamente in casa con centocinquanta compagni (il Trotti disponeva evidentemente di una dimora spaziosa) svuotandogli la dispensa.

Nel 1486 fu il consuocero di Gian Galeazzo a rischiare il trono: Ludovico intervenne a difesa del re di Napoli minacciato da una rivolta interna di baroni, appoggiati dal nuovo papa Innocenzo VIII. L'esercito milanese era guidato da Gian Giacomo Trivulzio, che sconfisse le forze pontificie e fu mediatore di pace a favore dell'Aragona.

Il prestigio di Ludovico si accresceva, tanto che nel 1488 gli riuscì di far tornare all'obbedienza l'irrequieta Genova la quale, ribelle al dominio milanese ma incalzata dal re di Francia, fu convinta a offrire pacificamente la propria dedizione.

Politicamente Ludovico si era fatto una buona reputazione, ma i pareri erano discordi sul trattamento riservato al duca titolare, suo nipote. Il castaldo della casa ducale Ambrogio da Paullo, ad esempio, scriveva che gestiva il potere «tenendo sempre oppresso il povero duca Gian Galeazzo», mentre il giurista Cagnola affermava: «Nessuna cosa pretermise che fosse digna et conveniente a principe magnanimo per assettare et augmentare lo stato del nipote».

Dal canto suo Gian Galeazzo, nell'88 ormai diciannovenne, non sembrava applicarsi che ai bagordi, ai quali fin da piccolo era stato incoraggiato dall'interessata indulgenza dello zio, e la gestione dello stato lo lasciava indifferente, come osservava Giacomo Trotti, inviato dallo stesso Ludovico a Pavia per informare il giovane duca «delle fatiche et astutie usate e delle incomoditate patite per insignorirlo de Genoa». Riferiva poi il Trotti al duca d'Este che Gian Galeazzo «non rispose parola a cosa che io dicessi... come giovinetto che ancora non gusta la dolcezza de la grandezza del Stato, né che cosa sia essere gran signore», concludendo «è l'opposto del signor Ludovico».

Debole di carattere, Gian Galeazzo era anche cagionevole di salute. Nel 1483 fu praticamente ammalato tutto l'anno. A gennaio cominciarono gravi coliche con febbre, e solo a ottobre il Moro poteva scrivere al fratello Ascanio, installato a Roma a incrementare un curriculum che l'anno dopo sarebbe stato coronato dalla porpora cardinalizia, che il nipote migliorava e già riprendeva a divertirsi. Negli anni successivi ebbe diverse ricadute: questi segnali di cronicità dei suoi disturbi gastroenterici rendono meno plausibili i sospetti di avvelenamento avanzati dieci anni dopo, alla sua morte.

Mentre il nipote viveva a Pavia, tra cavalcate, cacce e grandi bevute, Ludovico a Milano innalzava la sua fama, installato nel Castello grandioso che era di modello per tutte le corti d'Europa.

Il Castello sforzesco era un immenso quadrilatero a cavallo delle mura cittadine, circondato da un vasto fossato e munito di quattro torri angolari: cilindriche e scolpite a punta di diamante sulla fronte che guardava la città, quadrate e massicce quelle opposte, fuori dalle mura; ogni lato, escluse le torri, era lungo centottantaquattro metri. Una quinta torre sorgeva al centro del lato verso la città, dove si apriva l'ingresso principale: era detta del Filarete, anche se l'opera lasciata incompiuta dal maestro toscano era stata terminata dal lombardo Guiniforte Solari.

Due terzi del quadrato interno erano adibiti a piazza d'Armi, ai cui lati si assiepavano le case degli ottocento «provisionati» di guardia al Castello.

La parte rimanente, verso la campagna, era divisa in due sezioni funzionanti indipendentemente l'una dall'altra. A sinistra si ergeva la Rocchetta, che poggiava su un cortile porticato, protetta al centro dalla torre di Bona, ultimata da Ludovico, che vi aveva installato i propri appartamenti, e dove fu ospitata anche Cecilia Gallerani; al secondo piano si trovava il salone adibito dal duca Galeazzo Maria al gioco della palla; lunga quasi cinquanta metri e larga dodici, la sala della Balla per la sua vastità era utilizzata anche per feste e spettacoli.

A destra stava la Rocca, la corte ducale, anch'essa porticata e con loggetta angolare, nella quale si susseguivano gli appartamenti, gli uffici della Cancelleria, la cappella e le sale di rappresentanza.

La più vasta, lunga venticinque metri e riservata alle riunioni del Consiglio e al ricevimento degli ambasciatori, era detta «degli scarlioni» dalla decorazione a fasce bianche e rosse. C'era poi la sala a sfondo rosso detta delle «colombine»: sulle pareti e sulla volta, si ripeteva l'emblema della colomba incorniciata dal sole raggiante, col motto «à bon droit», ideato dal Petrarca per Gian Galeazzo Visconti, poi adottato dalla duchessa Bianca Maria e prediletto anche da Bona di Savoia. Seguiva la sala celeste, dove campeggiavano gli stemmi col biscione e l'aquila inquartata, un privilegio assunto dai Visconti fin dal 1294 col titolo di vicario imperiale (al quale peraltro, come si è detto, gli Sforza non avevano diritto) sopra un intonaco graffito con rombi alle pareti e azzurro sulla volta. Infine la sala della torre, detta la sala delle Asse, che sarebbe stata decorata da Leonardo nel 1498 col vivacissimo pergolato e gli intrecci di corde culminanti nella volta con lo stemma ducale incoronato di lauro.

Dato che la Rocchetta e la corte ducale si aprivano verso la campagna, fu necessario circondarle di un alto giro di muraglia, la cosiddetta Ghirlanda. Dal lato verso la campagna, il più esposto ad attacchi nemici, si apriva una sola uscita, mentre da quello verso la città ce n'erano tre, di cui la principale, come si è detto, attraversava la torre del Filarete, ulteriormente protetta da un rivellino triangolare a doppio ponte, mentre le altre due, laterali, erano aperte nelle cortine della piazza d'Armi, munite di complessi accorgimenti di rivellini, ponticelli e torrette verso il fossato.

All'esterno del Castello si estendeva il «barco», in parte coltivato e in parte riserva di caccia. Ludovico estese questo parco fino a cinquemilacentosessantuno pertiche (circa trecentosessanta ettari), facendone un banco di prova per applicare la sua passione per l'agricoltura, sperimentando tutte le colture per l'alimentazione umana e animale: frumento, frumentone, segale, avena, lino, miglio.

C'erano anche orti, frutteti, «giardinetti» per la coltivazione dei fiori e recinti per gli aironi, fagiani, cinghiali, stambecchi e caprioli, struzzi, pavoni, oltre a colombaie e vasche di pesci.

Fra gli abitanti di quella città nella città che era il Castello sforzesco, numerosissimo era il personale di servizio: fin dal 1472 figuravano soltanto «per servicio della persona del Duca» quaranta camerieri, altri dieci camerieri supplementari più i sottocamerieri. Il Moro, preoccupato per le eccessive spese, nel 1486 fissò, ad esempio, un limite di quattro cuochi, quattro sottocuochi e due «scottini»; ma c'erano anche fornai e prestinai per fare il pane, oltre al basso personale degli sguatteri.

Al servizio in tavola sovrintendevano i senescalchi, che ricevevano e trasmettevano gli ordini del signore e avevano anche il compito di trinciare le carni, gli apparecchiatori della tavola, i credenzieri, i caneparii o cantinieri, i dispensieri, i deputati agli argenti, gli uscieri. Sul gradino più basso della servitù stavano i ragazzi o «galoppini», disponibili per ogni mansione.

La famiglia ducale teneva inoltre a disposizione, anche se non sempre alloggiati a corte, sarti e ricamatori, calzolai, barbieri e profumieri, medici e speziali.

In una società per la quale l'intrattenimento era un indice del potere, importantissimi erano gli addetti alle nobili ricreazioni, sia sacre che profane. Il personale di cappella prevedeva due cappellani e un coro di trentatré cantori che, insieme ai musici, erano impiegati anche per spettacoli profani. Trombettieri e pifferi erano adibiti alle musiche nelle pubbliche adunanze, mentre negli intrattenimenti aristocratici venivano preferiti strumenti a percussione come rebecchi, salteri e tamburini e strumenti a corde come chitarrini, viole e soprattutto liuti, cui spetta il posto d'onore nella musica rinascimentale.

In grande considerazione era tenuta la danza, un rito al quale non si sottraevano nemmeno gli alti prelati. Alla corte sforzesca aveva brillato come ballerina Ippolita, figlia di Francesco Sforza, alla quale Antonio da Cornazzano nel 1465 aveva dedicato il suo *Libro dell'arte del danzare*.

La danza prediletta a Milano era la pavana, lenta e cadenzata, in cui i ballerini «per seguire il suono, vanno un tratto avanti, poi, dalla misura del tempo tirati, ritornano un passo indietro». Danze più vivaci erano la «mazzarocca» e il «mattarello». La pavana era una «bassa danza», prediletta dall'aristocrazia perché non si dovevano alzare i fianchi come nell'«alta danza», più adatta ai balli popolari.

Una ghirlanda di artisti era indispensabile alle corti signorili, e Milano godeva della fama di città colta; per fornire un ritratto più completo e credibile della corte sforzesca, lo storico Bernardino Corio associava i diletti intellettuali a quelli erotici: «La corte dei nostri principi era illustrissima, piena de nuove fogge, habiti e delicie, e una tanta emulatione era suscitata tra Minerva e Venere, che ciascuna di loro quanto più poteva cercava di ornar sua scola. A quella di Cupido per ogni canto vi convenivano bellissimi giovani, li patri vi concedevano le fiole, i mariti le mogliere, i fratelli le sorelle, e per sì fatto modo senza veruno riguardo molti concorrevano a lo amoroso ballo che cosa stupendissima era reputata per qualunque l'intendeva.

Minerva ancor lei con tutte le sue forze cercava de ornare la sua gentile academia, per il che impetrato, Ludovico Sforza, principe glorioso e illustrissimo, ai suoi stipendi e quasi insino da le ultime parti d'Europa haveva conducto uomini excellentissimi. Quivi nel greco era la dottrina, quivi versi e la latina prosa risplendevano, quivi nel rimare erano le muse, quivi nel sculpire erano i maestri, quivi nel dipingere li primi da longique regione erano concorsi, quivi de canti e soni erano tante suave e dolcissime armonie che dal cielo parean fussen mandate a la excelsa corte».

Nel testo del Corio non sono indicati nomi, ma possiamo colmare la lacuna scegliendo qualche esempio, e il simbolo della preminenza di Venere non può essere che Cecilia Gallerani.

Lo scenario descritto dal Corio si adatta benissimo a lei, accorsa «a lo amoroso ballo» per concessione del fratello. Devota a Venere ma anche alle Muse, la immaginiamo a suo agio nella dotta accolita tratteggiata dal Corio: lo studio del greco aveva il suo massimo rappresentante in Demetrio Calcondila, fra gli umanisti primeggiava Giorgio Merula, e il maestro Franchino Gaffurio, direttore della cappella del Duomo, fu uno dei maggiori musicisti del suo tempo. Quanto ai rimatori, furono più che altro imperterriti adulatori, come il milanese Gaspare Visconti, che paragonò il Moro a «uno Julio» in guerra, a «un Augusto» in pace, e «più che Tito e Traian mite e più justo». Insignito di vari incarichi e onori, il Visconti aveva il privilegio di reggere la spada al duca e di portar calze alla divisa sforzesca bianca e morella.

Di grande favore godevano anche i già nominati toscani Antonio Cammelli detto il Pistoia, e Bernardo Bellincioni, al quale si deve la celebre metafora di Milano come nuova Atene:

> O Muse afflitte vergognose e sole
> se il mondo vile un tempo v'ha sprezzate
> .......
> Venite e non temete più d'affanni
> Venite, dico, ad Atene, oggi Milano
> Ov'è il vostro Parnaso, Ludovico.

C'era una vera euforia del poetare: «Per tutto è seminata poesia», scriveva il Pistoia, che non assegnava limiti alla sua ispirazione:

> Di tutto quel che vedi fa sonetti
> se tu vedessi pur cacare un pollo
> o far questione insieme due galletti.

Nelle arti figurative, le stelle di prima grandezza furono Donato Bramante e Leonardo da Vinci, entrambi operanti al Castello: al primo si deve probabilmente il completamento del terzo lato del cortile della Rocchetta, e gli viene attribuita pure l'elegante loggetta architravata sul ponte a doppio arco posto a collegamento tra la corte ducale e la Ghirlanda. Leonardo dipinse il celebre pergolato nella sala delle Asse, nella torre della corte ducale, che resta forse l'unica sua opera realizzata, accanto a numerosi studi, schizzi e progetti riguardanti colossali rielaborazioni architettoniche del Castello.

La vita quotidiana di Ludovico il Moro al Castello sforzesco, nel periodo in cui conobbe Cecilia Gallerani, viene rievocata in una lettera dell'8 marzo 1488, da uno dei segretari del duca, l'umanista Jacopo Antiquario. A un cortigiano che chiedeva notizie sulla salute del Moro, rispondeva: «Lo illustrissimo Signore Ludovico non solamente è reducto a bona convalescentia, ma è pienissimo di sanità. Mangia, beve e dorme di bona voglia, vede giocare alla balla e vede andare i suoi cavalli; va spesso in Rocca et interviene in consiglio cum li consiglieri e decerne e fa quello che soleva fare prima, inanti l'infermità sua».

Al primo posto fra gli interessi del Moro viene nominato il gioco della palla, un passatempo che coinvolgeva ogni ceto sociale appassionando sia spettatori che giocatori. Già il duca Galeazzo Maria, che aveva allestito appositamente la grande sala della Balla, ne era un cultore. Ingaggiava i più rinomati campioni, come un certo maestro Arcangelo da Colli che portò via alla corte dei Montefeltro per fargli sostituire il suo allenatore, di cui non era più soddisfatto.

Il fervore per il gioco era incentivato da un grosso giro di scommesse; il Moro era piuttosto sfortunato e perdeva somme cospicue: nel 1472, ad esempio, perse trenta ducati d'oro col fratello Galeazzo Maria, e un'altra volta cento, che furono scontati dalle sue provvigioni di corte.

L'altro sport favorito era l'equitazione: le scuderie ducali erano rinomatissime, contenevano centinaia di cavalli, e nuovi esemplari erano ordinati fino in Ungheria.

Molto numerosi erano gli addetti alle stalle e alle cacce ducali: ufficiali da stalla o maestri, sottomaestri, staffieri, mulattieri, stambecchinieri (i cacciatori armati di stambecchina), falconieri. Fu assunto nel 1488 anche un addestratore di cavalli per allenarli alle gare che si susseguivano un po' dovunque, e ai quali i signori italiani iscrivevano i propri campioni. Si addestravano a correre anche i paggi e perfino le damigelle, alle quali erano riservate gare speciali; si inventavano, per divertimento della corte e distrazione dei sudditi, le corse più strane: sull'acqua, sui trampoli, di asini, di cani, sulle quali si scommettevano anche alte poste.

Era al gioco del potere, però, che Ludovico dedicava la massima attenzione; radunava regolarmente il Consiglio Segreto, da lui drasticamente ridimensionato nel 1488: «Il signor Ludovico ha reformato questi officii dentro Milano» – scriveva il Trotti – «Al Consilio Secreto erano più di sessanta gentilhomini de li primari de questa città; sua Excellentia l'ha reducto in octo; non leva il titulo a li altri, e se voleno andare al Consiglio, ponno andare, ma ha determinato che non habbiano emolumenti né voce, né che dagano voto, e questo acciocché in tutto se levino».

Degli otto consiglieri faceva parte il segretario generale, di cui il Trotti annunciava la nomina: Bartolomeo Calco, «sebben il signor Ludovico me ha dicto che lo conosce valere poco, ma è homo integro et de gran bontà»: gli premeva quindi avere un malleabile esecutore.

Come primo segretario, il Calco era anche capo della Cancelleria. Dal suo ufficio, situato al pianterreno della corte ducale, uscivano gli ordini, le gride, ogni disposizione dello stato. Il Calco, raffinato intellettuale elogiato dai grandi letterati del suo tempo, si doveva adattare anche a mansioni di basso profilo. Si conservano biglietti del Moro che gli ordinava, ad esempio, di fornire l'alloggio dell'ambasciatore fiorentino di sei paia di lenzuola per tre letti («per poterli mutare»), di coperte per i servi, di scodelle, scodellini, piattelli di stagno e «honorevoli» candelieri d'ottone, delle impannate per tre finestre, di una spalliera per la seggiola dell'ambasciatore, con la raccomandazione finale di fare bella figura! E ancora, quando la corte si recava «in cavalcata» a fare qualche gita fuori porta, toccava al Calco preparare la nota dei cibi per lo spuntino: fagiani, pernici, quaglie, lepri, lingue salate, offelle, robiole, mostarde.

Gli altri consiglieri erano stati scelti da Ludovico fra gli amici intimi, il più caro dei quali era Galeazzo Sanseverino, capitano generale delle truppe sforzesche dal 1487, in sostituzione di Gian Giacomo Trivulzio che per vendetta guiderà i francesi alla conquista di Milano. La famiglia Sanseverino, di origine normanna, era imparentata con gli Sforza, in quanto la nonna di Galeazzo era sorella di Francesco Sforza. Sempre presente accanto al Moro insieme ai fratelli Giovanni Francesco, conte di Caiazzo, Gaspare detto «Fracasso», il vescovo Federico, e numerosi altri, Galeazzo Sanseverino era l'immancabile vincitore di ogni torneo; il poeta Bellincioni, vedendo il favore di cui godeva, non aveva esitato a elargirgli il suo encomio:

Signore illustre, in cui mostra natura
Oggi sua gloria solo in farti onore,
Animo generoso, inclito core,
Chiaro intelletto, mente alta e sicura.

Il Sanseverino godeva di grandi privilegi: teneva in Castello quasi una corte propria, con personale addetto al suo servizio e cavalli che rivaleggiavano con quelli di Ludovico. «A me pare che epso messer Galeazzo sia Duca di

Milano – scriveva il Trotti – perché el po' ciò che vole et ha quello che sa dimandare et desiderare».

Come supremo pegno d'amicizia, Ludovico gli dette in moglie nel 1490 la sua giovanissima figlia naturale Bianca Giovanna, dotata del feudo di Voghera. L'immenso favore di cui aveva beneficiato non impedirà al Sanseverino di passare ai francesi, dai quali sarà creato gran scudiere e cavaliere di san Michele.

Resterà invece fedele al Moro fino all'ultimo un altro consigliere e amico, Marchesino Stanga, ricchissimo mecenate. Tenne le proficue presidenze dell'Annona e dell'Erario, e fu definito «l'organo ed il canale per cui passavano le grazie e tutti gli affari dello Stato». Quando Ludovico andrà in esilio, lo accompagnerà nel viaggio a rischio della vita.

Fra i consiglieri c'era anche il tesoriere generale Antonio Landriani, presidente della Zecca, il cui voto sarà decisivo nella nomina del Moro a duca di Milano, ma che pagherà con la vita l'aver firmato gli esosi decreti delle tasse: all'arrivo dei francesi sarà linciato a furor di popolo.

Oltre a questi e altri gentiluomini che componevano il consiglio segreto, frequentavano abitualmente la corte gli «oratori», cioè gli ambasciatori residenti a Milano, inviati dalle potenze forestiere; non tutti però erano trattati familiarmente come il Trotti, rappresentante di una famiglia legatissima agli Sforza.

Capitavano poi a corte ambasciatori occasionali e nobili visitatori dall'Italia e dall'estero, una vera folla, tanto che Ludovico ordinò di permettere l'ingresso soltanto a chi fosse conosciuto o accompagnato da qualcuno che garantisse per lui.

Come in ogni corte, anche in quella di Milano erano tenuti in grande considerazione personaggi pittoreschi come i buffoni e gli astrologi.

«La buffoneria è vita et anima de la corte», avrebbe scritto l'Aretino. Tra i tanti buffoni che prosperavano alla corte milanese, il poeta Bellincioni ricorda impermalito «il Pernigone, buffone da scuriati» e il «Tapone», le cui abilità consistevano «in pappare, in far male, in dir bugie». Tra tutti, il buffone preferito del Moro era Giovanni Antonio Mariolo che sedeva abitualmente alla sua tavola e lo seguiva ovunque. Grande narratore di favole e barzellette, pare facesse sbellicare la corte soprattutto con «quella dell'ago puntuto e quella del cane».

Di grandissimo prestigio godeva il medico e astrologo – le due funzioni s'identificavano – Ambrogio Varese da Rosate, docente allo Studio di Pavia, al quale si rivolsero per consulenze anche il papa Innocenzo VIII e il re di Francia Carlo VIII. Alla corte milanese era interpellato in ogni circostanza: gli si chiedevano indicazioni per fissare ore e date propizie, sia per gli eventi quotidiani che per quelli della massima importanza. Gli influssi astrologici gravavano su ogni avvenimento: quando, ad esempio, l'ambasciatore Matteo Pirovano giunse dalla Francia con notizie urgenti, il Moro aspettò a riceverlo che fosse passata la «combustione di luna», una congiunzione ritenuta immancabilmente nefasta.

Una delle consulenze più importanti fu richiesta a «magistro» Ambrogio il 10 dicembre dell'89. Ancora il Trotti, sempre incredibilmente informato su tutti i segreti degli Sforza, riferiva che il Moro doveva decidere se comprare, per una somma colossale, l'investitura a duca di Milano. Come si è detto, gli Sforza non avevano mai regolarizzato la loro posizione con l'imperatore, il quale faceva solo una questione di prezzo. Massimiliano d'Asburgo era pronto anche a vendere il titolo di re: «L'Imperatore era contento de investire questo Ill.mo Duca di questo Stato, pagando ducati octanta milia, et che volendone pagare quaranta millia de più oltra li octanta, è contenta sua imperiale Maestà di farlo Re et investirlo regio titulo; e per questa causa lo Ill.mo Signor Ludovico ha facto chiamare volando Maestro Ambrogio da Rosate a Vigevano perché il tutto passi bene in puncto de astrologia, cum la quale astrologia sua Excellentia governa ogni sua actione». Forse per il parere negativo dell'astrologo, o forse per l'esosità dell'esborso, per il momento il Moro preferì soprassedere.

Fra i personaggi che contavano alla corte, anche se soggiornava quasi sempre a Roma, c'era Ascanio Maria Sforza, ricco di prebende e di potere. Ebbe da Sisto IV il vescovado di Pavia e la carica di protonotario apostolico. Il supporto di Ludovico e della curia romana gli permisero di assicurarsi anche l'amministrazione dei vescovadi di Novara, Cremona e Pesaro; a Milano fu poi nominato abate di Chiaravalle e di Sant'Ambrogio; con le rendite di quest'ultima abbazia, poté ricostruire dalle fondamenta, avvalendosi dell'opera del Bramante, il chiostro e la grande canonica rimasta interrotta alla caduta della signoria sforzesca. Mecenate e studioso, fu cultore di tutte le arti: a lui è dedicato anche un trattato di musica preziosamente miniato. Insignito della porpora nell'84, sembrò che nel conclave del '92 potesse diventare papa, ma ebbe di fronte un rivale scaltro e irriducibile, lo spagnolo Rodrigo Borgia, il quale seppe farsene un alleato promettendogli laute rendite e la prestigiosissima carica di vice cancelliere di santa Chiesa.

L'appoggio dello Sforza fu decisivo, e dopo l'elezione Alessandro VI mantenne le promesse, aggiungendo ricchi doni: gli cedette il suo palazzo romano, detto della Cancelleria Vecchia presso la chiesa di Santa Lucia del Gonfalone, e gli inviò quattro mule cariche di casse di denaro e gioielli. Le sue cene e le sue cacce erano notissime e apprezzate da tutta l'aristocrazia romana, ma faceva anche molta beneficenza, e fondò nuove chiese e pii istituti.

I personaggi femminili più importanti della corte, finché Ludovico e Gian Galeazzo rimasero scapoli, erano le sorelle del duca, Bianca Maria e Anna. La maggiore era promessa a Giovanni Corvino, figlio naturale ma erede riconosciuto del re d'Ungheria Mattia Corvino: le nozze furono celebrate per procura al Castello di Milano nel novembre del 1487, ma Bianca Maria non raggiunse mai lo sposo, per gli ostacoli creati dalla regina, Beatrice d'Aragona, che non accettava la successione del figliastro, progettando di governare lei stessa alla morte del marito.

Anna era promessa ad Alfonso d'Este fin dalla prima infanzia; quando ebbe undici anni, nel 1484, la sua futura suocera Eleonora d'Aragona, moglie del duca d'Este, le mandò in dono una favolosa bambola con un ricchissimo corredo e una stanza in miniatura tutta ammobiliata.

Questa «pua», eccezionale giocattolo, divenne celebre, perché ne erano artefici i più rinomati artigiani della corte ferrarese: uno scultore e un intagliatore avevano costruito la cameretta, ornata di rilievi dorati e dipinti, tappezzata di stoffe preziose, con panneggi di raso cremisi ricamati e cordoni d'oro e di seta. Il lettino aveva tre materassi, coperte di taffetà giallo; il baldacchino aveva pomi e anelli dorati. C'era anche il secchiello dell'acqua benedetta, sostenuto a capo del letto da una catenella d'argento. In una culla dorata stavano due «puotte», le figlie della «pua». C'era anche la toilette fornita di ogni accessorio, col «lambicco» per lavare la testa, il «bacilotto» e per i piedi la «raminetta». Eleganti forzieri foderati di seta verde custodivano anfore dorate, scatolette per essenze, ampolle, ovaroli, cucchiai e altri ninnoli, oltre al corredo confezionato dal sarto e dal ricamatore dei duchi, con vesti di raso, seta, velluto e broccato. C'era anche un «puovolino», uno scudiero di stoppa riccamente vestito e armato di una spada col fodero d'argento.

Anche se a corte non mancavano belle gentildonne, dei cui favori il duca Galeazzo Maria aveva largamente approfittato, Ludovico aveva preferito amori al di fuori della corte, con donne non nobili, dalle quali ebbe tre figli naturali prima della relazione con Cecilia Gallerani. Il primo figlio fu Galeazzo, di madre ignota, del quale già nel 1480 combinava il matrimonio (poteva essere ancora bambino, visti gli usi del tempo); poi nacque Leone, da una certa Romana, nel 1476, e nel 1482 ebbe Bianca Giovanna da Bernardina de Corradis, alla quale rimase sinceramente affezionato, tanto che alla morte della loro figlia, nel 1496, le scrisse per consolarla, aggiungendo: «Per questo non sarete da noi meno amata nel avenire quanto se la Bianca fosse sempre vivente».

Un altro amore di Ludovico è documentato da una lettera che scrisse all'arcivescovo di Milano Giovanni Arcimboldi, il 9 luglio 1484. Ludovico raccomandava al cardinale un giovane che voleva farsi prete, «fratello di una giovane milanese notabile di sangue, honestissima et formosa quanto più havessi possuto desiderare, con la quale prendiamo piacere». La disinvolta descrizione non sembra adattarsi a una donna che già gli aveva dato una figlia, quindi non può trattarsi di Bernardina; nello stesso tempo non può riferirsi a Cecilia Gallerani, allora appena undicenne. Evidentemente la relazione con la de Corradiis era già finita, e il Moro l'aveva rimpiazzata con una bellezza rimasta anonima.

Quanto al giovane duca Gian Galeazzo, nei suoi amori non faceva distinzione di sesso o di ceto sociale (in questo imitando suo padre, che si vantava: «Il peccato della lussuria l'ho adoperato in tutti quelli modi et forme che si possi fare») ma ancor più indulgeva a disordini alimentari, soprattutto alcolici.

Questo stile di vita era completamente di suo gusto e non aveva fretta di sposarsi: ma giungevano messaggi da Napoli a richiedere che il matrimonio fosse celebrato senza ulteriori indugi poiché la sua fidanzata aveva diciassette anni, un'età in cui le donne erano spesso già madri. Quando non fu più possibile tergiversare, si definirono gli accordi relativi alla dote, che sarebbe stata pagata in due rate: ottantamila ducati da pagarsi subito, ventimila l'anno successivo, oltre ai gioielli e al corredo.

Per discutere sugli ultimi dettagli e sul cerimoniale, nell'agosto del 1488 fu inviato a Napoli Agostino Calco, figlio del segretario generale: il suo arrivo fu funestato dalla morte improvvisa di Ippolita, la madre della sposa. Però Ferdinando d'Aragona, re di Napoli, decise di non rimandare le nozze, anche se sarebbe stato osservato il lutto per un anno; la limitazione dei festeggiamenti avrebbe fra l'altro consentito un notevole risparmio.

Tre mesi dopo una folta delegazione milanese, guidata dal fratello minore dello sposo, Hermes, s'imbarcava a Genova alla volta di Napoli, per celebrare le nozze per procura e scortare Isabella a Milano: ne facevano parte anche Gian Francesco Sanseverino conte di Caiazzo, e i poeti di corte Bernardo Bellincioni e Gaspare Visconti. Il Bellincioni volle sottolineare che l'arrivo di Isabella a Milano sarebbe stato quasi un ritorno della madre nella sua città natale:

Angeliche accoglienze in vista altera,
Atti gravi, pietosi, alte parole,
Sì che natura in lei render ci vole
Ippolita per cui nel ciel si spera.
......
Di Lombardia sarai la sua fenice
Sendo tu 'l frutto di quel divo seme,
Ch'el ciel più ch'altro al mondo onorar vole.

Dopo un primo momento di tensione perché i ducati d'oro della dote risultavano «tosati», cioè alleggeriti di peso, il 21 dicembre si celebrarono le nozze per procura e dopo Natale la comitiva ripartì, con altre dispute sul numero degli accompagnatori della sposa, che gli Sforza desideravano fosse ridotto all'osso, mentre Isabella impose un seguito da sovrana: c'erano anche tre schiave arabe, sette negre e tre negri.

Il viaggio per mare fu lungo e burrascoso, con una sosta a Civitavecchia per ricevere gli omaggi dello zio cardinale Ascanio e di altri membri del Sacro Collegio. Arrivata esausta a Genova il 18 gennaio, Isabella si rifiutò di proseguire subito per Tortona, dove l'attendeva Gian Galeazzo, ligio ai calcoli astrologici forniti da Ambrogio da Rosate, così l'incontro tra gli sposi avvenne il 24 gennaio, una giornata di pioggia battente.

Avvicinandosi alla sposa, Gian Galeazzo non volle che gli baciasse la mano all'uso napoletano e fece il gesto di abbracciarla: ma il suo cavallo si impennò e dovette desistere. Forse, superstizioso com'era, lo considerò un cattivo presagio; inoltre Isabella fu probabilmente una delusione per il biondo duca, da tutti elogiato per la sua bellezza, se il Trotti, di solito galante nel valutare le attrattive femminili, la descrisse: «Negretta di volto et non molto bella, ma ha una gentile et bella persona».

Il banchetto offerto agli sposi dal castellano di Tortona abbinava le delizie della gola a quelle dell'intelletto: prima di ogni portata, cantori, attori e mimi interpretavano episodi mitologici connessi alle vivande presentate. Racconta lo storico milanese Tristano Calco, cronista ufficiale delle celebrazioni, che per annunciare l'arrivo dell'agnello arrosto entrava Giasone a narrare l'impresa del Vello d'oro; per il vitello interveniva Apollo a raccontare il furto degli armenti d'Admeto; Diana annunciava che il cervo che stava per essere servito era Atteone da lei tramutato e che il regale stomaco di Isabella era la tomba più adatta per l'eroe; Orfeo poi aveva approfittato degli uccelli radunatisi a sentire il suo canto, per farne una strage e consegnarli alla mensa nuziale.

Dopo la spettacolare cena, gli sposi si ritirarono in camere separate perché gli astri avevano indicato Vigevano come luogo propizio al congiungimento coniugale.

Il castello visconteo si componeva di due edifici principali, il «maschio» e la «rocca vecchia» collegati da una strada coperta; Galeazzo Maria Sforza nel 1473 aveva iniziato la costruzione di grandiose scuderie lungo il contorno sud-ovest dell'antico recinto fortificato. Prediletto dal Moro, che vi era nato, il castello di Vigevano sarebbe stato da lui affidato, a partire dal 1492, a Donato Bramante, che non solo avrebbe completato e ampliato le scuderie, ma avrebbe costruito una nuova ala per gli appartamenti della duchessa, innestata a est del maschio, con la famosa loggia delle dame; avrebbe anche innalzato i loggiati sopra la falconiera e sul ponte di collegamento, e completato la torre del rivellino con un belvedere ottagonale. Con la collaborazione di Leonardo si sarebbe poi realizzata la straordinaria piazza che può essere considerata quasi un atrio di ingresso al castello, grazie alla quale la città veniva coinvolta in un'elegantissima ristrutturazione urbanistica.

Al castello di Vigevano non avvenne però l'atteso connubio: dopo il banchetto e l'intrattenimento musicale offerto dai cantori della cappella ducale, venuti appositamente da Milano, Gian Galeazzo non raggiunse la sposa in camera, e il giorno dopo partirono dispacci diplomatici a informarne tutte le corti.

Il primo febbraio Isabella e il suo seguito arrivarono da Vigevano a Milano per acqua, su sei bucintori, come venivano chiamate le barche da parata, sbarcando all'altezza della chiesetta di San Cristoforo sul Naviglio. Ludovico e Gian Galeazzo, che l'avevano preceduta a cavallo, le presentarono i personaggi più in vista della corte, tra cui l'immancabile Trotti, cronista dell'avvenimento: «Et iscontrati insieme, cum gran festa et triumpho entrassimo cum il signor Ludovico nel bucintoro della duchessa, facendoci le carezze e li abbrazzamenti che sono convenienti in simili acti. Sulle ripe del Naviglio da ogni canto era tanta moltitudine di persone che facevano feste e jubilo cum diversi suoni e stridi che trapassavano l'aere».

Arrivati poi al Castello, Isabella trovò allestito un portico sostenuto da sette colonne tutte rivestite di rami di ginepro, ornate con gli stemmi ducali; le stanze erano state tappezzate di panno azzurro e addobbate con festoni intrecciati d'edera e alloro. La giovane duchessa fu scortata nella sua camera, nella torre della corte ducale, dalla cognata Bianca Maria: le pareti erano tappezzate in raso cremisi con intorno un ricamo in oro; sul baldacchino e sulla coperta del letto erano state ricamate a fili di perle le figure araldiche dei leoni con i tizzoni e le secchie pendenti, impresa prediletta da Galeazzo Maria Sforza, che risultava ben augurante nel motto che il leone portava sul cimiero: «Hic Hof», cioè «Io spero». Le speranze di Isabella erano però destinate a essere lungamente deluse.

Il 2 febbraio ci fu la cerimonia dello sposalizio in Duomo. Alle nove del mattino Isabella e Gian Galeazzo uscirono dal Castello sotto un baldacchino di damasco bianco, sorretto da una teoria di quaranta giureconsulti paludati in raso cremisi. Gian Galeazzo vestiva di broccato d'oro «riccio», e sul cappello inalberava un puntale di diamante con una perla grossa come una nocciola. Sul petto gli balenava un pendente con un grande balasso sormontato da un diamante.

Anche Isabella era vestita di broccato e riccamente ingioiellata, con i capelli trattenuti da una ghirlanda di perle. Tutta la corte sfoggiava le vesti più preziose, come osservò ammirato l'oratore fiorentino Pandolfini: «Il signor Ludovico con tutti questi altri sforzeschi erano vestiti di broccato, e i più si accordano ci sia stato da vestire da trecento in su tra d'argento e d'oro; di velluto e di raso non vi dico, perché insino i cuochi ne erano vestiti».

Dopo la messa solenne in Duomo, cantata dal celebre coro ducale, il vescovo Federico Sanseverino pronunciò la formula nuziale e Gian Galeazzo infilò l'anello al dito di Isabella; a reggere il dito, come compare d'anello, il «barba» Ludovico. Il foltissimo corteo ritornò poi al Castello accompagnato dal tripudio della popolazione: tripudio strettamente sorvegliato e irregimentato dal servizio d'ordine, se stiamo alla testimonianza del Pandolfini.

«Dal castello al Duomo sono mille e settecento passi, che di sopra era coperto di panni bianchi e le mura da ogni banda coperte de tappezerie e con festoni di ginepro e melarance che mai vedesti la più bella cosa. Di poi tutti gli usci e fenestre erano piene di fanciulle e donne vestite ricchissimamente; e per obviare al tumulto del popolo, tutti i canti delle strade che mettevano in questa principale dove s'andava, erano sbarrate, e alla guardia di ogni canto erano da dieci a dodici provisionati; in su la piazza del Duomo stettero del continuo duecento tra stradotti e balestrieri a cavallo. Ogni cosa è ita molto ordinatamente in modo che non è nato uno minimo scandalo, che non è piccola meraviglia per la grande e innumerabile multitudine che è in questa città. È vero che circa l'arme si è usato extrema diligentia per farle porre giù ad ogni persona, delli nostri in fuori che sempre l'hanno portate dapertutto.»

Lungo il percorso del corteo, le Corporazioni delle Arti avevano allestito spettacoli trionfali. Nella contrada degli Orefici, ad esempio, in onore della coppia ducale fu presentato un grande pallone dorato sostenuto da grifoni d'oro e circondato da colonne argentate sopra le quali campeggiavano i leoni araldici con tizzoni e secchie; sotto al pallone un bambino vestito da Cupido recitava versi augurali.

Il giorno dopo la corte riprese il lutto per la morte di Ippolita Sforza, madre della duchessa, e Ludovico ne approfittò per far trasferire i nipoti a Pavia, dove aveva già predisposto che risiedessero abitualmente, come del resto aveva fatto Gian Galeazzo fino ad allora. Desideroso di disfarsi della comitiva napoletana, già il 5 febbraio, dopo solo tre giorni dal fastoso matrimonio, nonostante il tempo infame «ch'el fu el più crudel tempo di acqua a secchie roverse e di neve che vedeste mai» (si lamentava il Trotti) gli Sforza zio e nipote diedero il segnale della partenza per Pavia, che sarebbe stata la prima tappa del ritorno in patria del seguito di Isabella.

La duchessa e le dame furono sistemate sulle «carrette», un mezzo di trasporto che non garantiva nessuna comodità, in quanto privo di sospensioni. Le carrette, con armature a cerchi di legno rivestite di stoffa o di cuoio, si aprivano ai lati con due sportelli col montatoio e avevano due sedili uno di fronte all'altro coperti di cuscini; ad attutire le scosse ben poco servivano i materassi imbottiti di bambagia su cui si poggiavano i piedi. All'interno le cortine erano foderate di vaio. La scomodità della sistemazione non impedì a Isabella di sfoggiare la pompa dovuta al suo rango: il Trotti ammirò il suo cappello «con perle tutt'intorno e un bel mazzo sul davanti fornito di quarzi e perle e in mezzo una perla di notevole grandezza».

In pochi giorni la nuova duchessa aveva già visitato i tre castelli più importanti dello stato su cui era venuta a regnare: dopo Vigevano e Milano, eccola nella grandiosa reggia di Pavia.

Il castello di Pavia era sorto intorno al 1360 per volere di Galeazzo II Visconti, che vi aveva installato la sua capitale; già il Petrarca aveva definito «augustissimo» l'imponente fortilizio di centoquarantadue metri per lato, che modulava la massiccia struttura impiantata sul quadrato con un raffinato corredo decorativo a slanciate bifore e loggiati traforati. I due piani dell'edificio comprendevano ciascuno quaranta sale, tutte affrescate dai più rinomati pittori, sia lombardi che d'importazione. Ai tempi di Filippo Maria Visconti ad esempio, il Pisanello aveva dipinto «cieli colorati e finissimo azzurro nei quali campeggiavano varie sorta di animali fatti d'oro, e si ammirava tra l'altro un gran salone istoriato con cacce, pescagioni e giostre dei Visconti». La vita di corte era il motivo conduttore degli affreschi di tutto il palazzo. Sotto Francesco Sforza, una squadra di pittori fra cui Bonifacio Bembo e Zanetto Bugatto aveva disseminato nelle sale i ritratti della famiglia ducale insieme agli amici e ai collaboratori:

più d'una volta appariva la figura di Cicco Simonetta, poi decapitato nei sotterranei di quello stesso castello.

Galeazzo Maria e Ludovico avevano aggiornato la serie, facendosi rappresentare con le famiglie in scene di caccia, di giochi, di banchetti: tra i nomi dei pittori figuravano Vincenzo Foppa e lo stesso Leonardo.

Anche i quattro torrioni ospitavano opere di gran pregio. La torre a destra dell'entrata si fregiava del celebre astrario realizzato dal matematico Giovanni Dondi nel 1381: era un orologio costruito in rame e ottone che batteva le ore e segnava il movimento degli astri mediante un complicato congegno di più di duecento ruote mosse da un contrappeso. Nella torre di sinistra era situata l'attrattiva più prestigiosa, la ricchissima biblioteca di cui lo stesso Petrarca era stato consulente, che in un secolo si era dilatata accumulando migliaia di incunaboli e manoscritti miniati. Il terzo torrione era caratterizzato dalla sala «degli specchi», tutta decorata a vetri colorati e dipinti, e nel quarto era in mostra un'impressionante collezione di armi e armature.

In altre circostanze forse Isabella, allevata in una corte non ricca ma fervida di cultura, da una madre che era stata l'anima dell'Accademia del Pontano, avrebbe passato parecchio tempo fra i codici della biblioteca, ma al momento il suo dovere era di entrare il più possibile in contatto col marito, condividendo i suoi svaghi.

Soltanto l'anno prima, la corte a Pavia passava il tempo negli aristocratici esercizi cavallereschi: «Qui ogni dì o si giostra o si tornìa o si combatte a cavallo a ferro, a sollazzo in arme da battaglia» – aveva testimoniato il Trotti – il quale al momento riscontrava un grande cambiamento, con Gian Galeazzo che sembrava sprofondare sempre più nei suoi vizi. «Poco si cura di lei, et vive dissolutamente cum li soliti appetiti, et ha incominciato a bevere fuor di modo la mattina a l'alba, et lasciando da parte di andar fora a caccia».

La condizione di Isabella era aggravata dalla severità dello zio, che stringeva i cordoni della borsa: «Serìa non dico difficile ma quasi impossibile credere non solum in quanta avaritia ma miseria ha ridutto le cose et il vivere di questa Corte» deplorava il Trotti, rimarcando che la duchessa si sentiva come «la più scontenta et la pegio maritata donna che viva; getta più lacrime che non mangia bocconi».

# CAPITOLO V

# CECILIA AL CASTELLO

GIRA TUTTO ATTORNO ALLE FIGURE FEMminili, l'anno 1489, quando Cecilia Gallerani fa la sua apparizione alla corte sforzesca. È un anno incorniciato da due itinerari nuziali: incomincia con il viaggio da Napoli a Milano di Isabella d'Aragona che va sposa al duca Gian Galeazzo, e si conclude col viaggio da Ferrara a Milano di Beatrice d'Este che va sposa a Ludovico il Moro.

C'è anche il dramma di un itinerario che non si compie: Bianca Maria, la diciottenne sorella di Gian Galeazzo, viene tenuta ancora lontano dall'Ungheria e dal suo sposo Giovanni Corvino per gli intrighi della regina Beatrice.

La sorella minore, Anna, di sedici anni, è in attesa del matrimonio con Alfonso d'Este, che ne compirà quattordici. Il suo matrimonio, stando alle usanze, non dovrebbe essere celebrato prima di quello della sorella maggiore, quindi anch'essa attende che in Ungheria la situazione si sblocchi.

Pure Ludovico è impaziente di sposarsi: Gian Galeazzo, nonostante gli intoppi iniziali, potrebbe avere un erede, e il Moro ritiene necessario assicurarsi una discendenza legittima; il Trotti fa da intermediario con il duca d'Este: «L'Illustrissimo signor Ludovico molto mi ha addimandato dell'Ill.ma Madonna Beatrice sua sposa, et come la sta, et come la è grande, domandandome quando sarà quel dì che menerà la sposa sua; e mostra havere gran voglia di menarla a Milano per havere qualche figliolo».

Beatrice, che ha tredici anni e mezzo, non è ancora sviluppata, quindi le nozze vanno rimandate; nel maggio dell'89 Ludovico propone che il matrimonio sia celebrato l'estate successiva, in forma privata «a la domestica, senza far né nozze né altra spesa pubblica», non per un soprassalto d'avarizia, spiega, ma per evitare confronti con le modeste celebrazioni fatte per le nozze del legittimo duca: «L'omissione di feste in questa sua venuta non è perché non giudichiamo le cose di quelli Ill.mi Signori digne di essere onorate et di omne altro magnificentissimo apparato, ma perché ne pare conveniente, in questo nostro essere, quanto più se può, dovere fare manco ostentatione.»

Circa la data delle nozze, «essendo noi desiderosi di farlo con felicità di tutti noi dui, non ne è parso impertinente consultare li astronomi nostri, da li quali ne è confortato al decimo octavo de Julio proximo per fortunato et prospero alla conjunctione nostra con lei».

A parte le preoccupazioni dinastiche, per altri versi il rinvio delle nozze non gli dispiaceva, visto che nel frattempo le emozioni e i sentimenti di Ludovico si erano polarizzati attorno a un nuovo amore.

Nell'estate del 1489 Cecilia Gallerani compare ufficialmente accanto al Moro; abita nella Rocca e lo segue in ogni suo spostamento tra un castello e l'altro: mai nessuna, tra le favorite del duca di Bari, era stata ospite alla corte.

Com'era da prevedere, è il Trotti a far circolare la notizia, in coda a una lettera scritta l'11 agosto dell'89 da Pavia.

L'oratore ferrarese articolava i suoi dispacci con taglio

giornalistico: incominciava con la politica estera, dall'Italia e dall'Europa, poi passava alla cronaca interna, spesso appoggiata a un commento da scaltrito opinionista; in chiusura la cronaca mondana.

Nella lettera dell'11 agosto l'argomento del giorno era quello del matrimonio in bianco della coppia ducale. Tra le ipotesi dell'inadempienza del duca era stata avanzata anche quella della stregoneria: «Questo signor Duca ancora non ha consumato il matrimonio (...) e il castellano de porta Zobia ha sempre dubitato che Sua Signoria sia stata fatturata»; il Trotti, per nulla superstizioso, commentava: «A me pare una pazzia», raccontando che il castellano aveva mandato un prete esorcista «per disfare simile fattura», ma il duca, avendolo sorpreso in camera e saputa la ragione della sua presenza, l'aveva cacciato «dicendo che lui sapeva et poteva ben fare quel fatto a sua mogliera, senza fare tante cose, del che la brigata fece risa assai».

Non erano dunque problemi d'impotenza a trattenere Gian Galeazzo: la sua reazione e le complici risate dei compagni di baldoria mostrano che si asteneva dai rapporti coniugali per una qualche rivalsa contro la moglie che gli avevano imposta. Acquiescente in tutto, sembrava esprimere il suo disagio soltanto in quel gesto di rifiuto.

In fondo alla lettera, nello spazio riservato alle notizie spicciole e alla cronaca rosa, il Trotti, fornendo notizie sulla salute di Ludovico, in quei giorni prostrato da un attacco delle febbri malariche estive molto frequenti in quelle zone, divulgava uno scabroso pettegolezzo: «Si dice che il male del signor Ludovico è causato da troppo coito di una sua puta che prese presso di sé, molto bella, parecchi dì fa, la quale gli va dietro dappertutto, e le vuole tutto il suo ben e gliene fa ogni demostratione».

Parla di Cecilia, non c'è dubbio: fresca, radiosa, piena di vita, entra trionfante nelle cronache sforzesche. Il termine «puta», poiché «puti» erano chiamati i bambini, descrive la sua giovane età: infatti compiva sedici anni. È un'immagine di assoluta eccellenza, tanto che della sua bellezza non viene elogiato questo o quel particolare, come può avvenire se l'insieme non è perfetto. La sua esuberante sensualità alimentava una costante eccitazione nel Moro, che però non la teneva soltanto per i piaceri dell'alcova: se la esibiva in pubblico al suo fianco, vuol dire che Cecilia si faceva ammirare anche per le maniere e la cultura.

Perfino la duchessa Isabella si era messa a proteggerla, forse per ingraziarsi lo zio, forse perché desiderosa di compagnia femminile, avendo il Moro rimandato a Napoli tutte le dame del suo seguito. Aggiunge infatti il Trotti: «Questa duchessa l'ha vestita alla catalana e la tene in palma di mano».

Fin dalla prima apparizione, la figura di Cecilia è legata a un codice di eleganza, di stile: la sua iniziazione all'Olimpo dei potenti è simboleggiata nel vestirsi «alla catalana», cioè alla spagnola, con la sbernia introdotta a corte da Isabella. È un segno di privilegio, che Cecilia vorrà immortalare quando, poco tempo dopo, sarà effigiata da Leonardo.

Le indiscrezioni del Trotti sulla presenza di Cecilia accanto al Moro ci permettono di lanciare uno sguardo dietro la facciata della vita di corte, dove scorrevano articolate trame di rapporti che sfuggono alla stilizzata gerarchia del potere.

Quella di Cecilia è in un certo modo un'esistenza invisibile, non registrata ufficialmente, come se vivesse in una realtà parallela. Anche il Trotti partecipa a questa congiura del silenzio: dopo aver segnalato al duca d'Este la sua presenza, passerà più di un anno prima che parli ancora di lei.

Dobbiamo quindi affidarci alle supposizioni nel tracciare un plausibile scenario in cui far muovere l'amante del Moro: è probabile ad esempio che Isabella d'Aragona le abbia confidato le sue traversie coniugali, delle quali del resto tutti erano al corrente; le avrà anche chiesto dei suggerimenti per risvegliare il desiderio nel marito, perché molti le facevano capire che toccava a lei, come scriveva il Trotti, «supplire a li mancamenti del Duca et domesticarlo; perché le donne vogliono et debbono fare ogni cosa in letto cum li mariti».

Nessun consiglio comunque servì a cambiare la situazione: dalla corte napoletana giunsero rimbrotti ufficiali, esposti dall'oratore regio Simonotto Belprato che affrontò Gian Galeazzo alla presenza del Moro (né poteva mancare il Trotti, puntuale relatore dell'episodio) rimarcando la «grande infamia che per tutta Italia si intenda che sua Excellentia sia in tale mancamento, considerato che lei è pur bella, giovane, costumata, modesta, venusta et senza un mancamento al mondo». Il Moro rincarava la dose: «Il signor Ludovico gli disse che se doverìa vergognare in sei mesi non haver potuto consumare il matrimonio, et ch'el meritava non essere honorato et stimato come Signore per l'infamia che dava a tutta la Casa loro; et che da ogni uno era beffato, et ch'el meritaria essere decaduto dallo Stato et dominio».

La pubblica minaccia di questa frase fa pensare che lo sdegno dello zio fosse simulato: infatti il pretesto per togliere il potere al nipote non poteva che essergli gradito. Gian Galeazzo come sempre reagì chiudendosi nel silenzio: «E questo signor Duca mai non rispose parola, venendo rosso, pallido et de vari colori, per non saper cosa dire».

A settembre Ludovico, forse per ridare smalto alla reputazione del casato, forse anche per abbagliare Cecilia con un superbo spettacolo, organizzò a Pavia una grande giostra.

I giochi cavallereschi non erano più dei semplici scontri armati, ma elaborate scenografie che esaltavano il prestigio collettivo dell'aristocrazia. Le giostre erano combattimenti tra due soli contendenti a cavallo, armati di lancia cortese, cioè con la punta protetta da un rocchio di legno, mentre i tornei erano incontri a squadre, combattuti sia a cavallo che a piedi, quindi sia con lance che con spade.

Nella giostra, dove rifulgeva maggiormente il valore personale, il campione della corte sforzesca era Galeazzo Sanseverino, che anche in quell'occasione si coprì di gloria, spezzando ben diciannove lance: a lui andò il premio, una pezza di broccato d'oro. Ma ben altro segno della sua amicizia gli riservava Ludovico, che proprio in quei giorni gli concedeva in sposa la sua figlia naturale Bianca Giovanna, di soli otto anni.

Nella cronaca di questa giostra il Trotti inserisce un elemento di grande novità, segno di un evidente mutamento nelle dinamiche del potere ai vertici del ducato, rilevando che la folla entusiasta dello spettacolo gridava: «Moro! Moro!». L'acclamazione reiterata abitualmente era «Sforza! Sforza!», oppure, riferita a Gian Galeazzo, «Duca! Duca!» Ma in quest'occasione il Trotti, descrivendo le urla dei presenti e gli stemmi inalberati, prende atto di una nuova formula di omaggio, coniata di recente, anche se non viene precisato da quando: «Qui si è gridato sempre "Moro! Moro!", che è il signore Ludovico, né mai si è gridato "Duca! Duca!"; et se vi erano de li mori dipinti et fatti in forma di homini vivi, non ve lo poterìa dire; tutti li cimieri de li elmi ne la maggior parte erano mori».

Il duca di Bari si era evidentemente mostrato abilissimo comunicatore, giocando sul soprannome che aveva fin da piccolo, per la sua capigliatura nerissima e per il colorito olivastro: perfino la madre, annunciando la sua nascita, aveva scritto che quel «figliolino» era più «sozo», cioè più scuro, di tutti gli altri. Abile ideatore di stemmi e di imprese, Ludovico trasformò le sue caratteristiche in una sorta di marchio capace di identificare positivamente il suo personaggio pubblico, associandolo al nome di una pianta, il gelso, detto «moro» in Lombardia, eletto a simbolo della prosperità del ducato. Primo albero a dare frutto, ultimo a perdere le foglie, il Moro diventava un'allegoria che stimolava il consenso popolare.

Mentre la reputazione di Ludovico cresceva, quella di Gian Galeazzo invece precipitava, e il suo ostinato tenersi lontano dalla moglie stava procurando seri problemi economici: a Napoli infatti non solo avevano bloccato la seconda rata della dote di Isabella, ma si parlava di chiedere l'annullamento del matrimonio e di farsi restituire quanto era già stato versato. Per questo il Moro fece un'ulteriore reprimenda ufficiale al nipote, chiamando a testimone l'arcivescovo di Milano, Guido Antonio Arcimboldi.

L'onnipresente Trotti raccontò la scena al duca d'Este, il 31 dicembre 1489: «Si ricorderà Sua Excellentia quello ch'io gli scrissi dei venti mila ducati che resta a dare dalla Maestà del re Ferdinando per la dote etc. Per ciò l'Ill.mo signor Ludovico in presentia di alcuni primarii et del archiepiscopo di questa cittade fece chiamare questo Ill.mo Duca e gli dipinse lo inferno perché non consumava il matrimonio, facendogli intendere che il Re haveva risposto dicendo che non solamente si restituirebbe la dote havuta, non che si avesse il resto, ma che forse anche bisognerebbe restituire la donna, del che il povero Signore tutto stette mortificato».

La prognosi del Trotti era nettamente infausta: «Non ne sarà più di quello che sia stato per il passato, secondo il juditio mio, perché "Nitimur invetitum semper cupimus negata"». Secondo l'analisi psicologica dello sperimentato oratore ferrarese quindi, le insistenze del Moro erano controproducenti, perché proprio le pressioni cui era sottoposto impedivano al duca di avvicinarsi alla moglie: si corre infatti dietro a ciò che è proibito, si desidera sempre quello che non si può avere.

Ancora una volta Ludovico ricorre ai festeggiamenti per dare ai giovani duchi l'illusione di essere onorati come i veri signori dello stato, e mostrare al re di Napoli la considerazione in cui è tenuta Isabella: il 13 gennaio, scaduto ormai l'anno di lutto per la morte di Ippolita, che era stato il pretesto ufficiale del tono minore adottato nello stile di vita a corte, si svolge una festa destinata a restare famosa come la «Festa del Paradiso», grazie al marchingegno ideato da Leonardo da Vinci.

L'idea era partita da Ludovico, destinata probabilmente alla festa di nozze di Gian Galeazzo e Isabella ma non rappresentata a causa del lutto assunto dalla corte. Lo attesta il Bellincioni, incaricato di stendere il libretto, dedicando al Moro un «Sonetto al signor Ludovico per l'invenzione d'un soggetto di Commedia dato dal Moro per le nozze della sua nipote», che inizia così:

> L'alta invenzione e il tuo soggetto degno
> In far che Giove tua nipote onori.

Un documento dell'epoca, anonimo ma probabilmente copiato dalla relazione del Trotti, descrive minuziosamente questa festa, a cominciare dall'allestimento della sala; poiché la coreografia prevedeva anche uno spettacolo equestre, fu scelto l'unico spazio abbastanza vasto che fosse accessibile dallo scalone praticabile a cavallo, cioè la cappella ducale:

«La sala dove è stata fatta detta festa è nel castello di Porta Giovia, è quella in capo alla scala che se va su a cavallo, che è dinnanzi alla camera del Duca di Milano et dove è dentro la cappella dove ode Messa sua Excellentia, la quale haveva un cielo di sopra, da un capo all'altro festoni di verdura, e ciascuno aveva dentro la sua arma, le quali erano tutte le ducali e delli Illustrissimi Signori sforzeschi e della sacra Maestà del re Ferdinando. Attorno al cielo di detta sala era una cornice a verdura pur con festoni et arme; i muri sotto a detta cornice erano tutti coperti di raso con certi quadretti di tela, dove erano dipinte certe storie antiche et molte cose che fece l'Ill.mo et Ex.mo Signor Duca Francesco».

Lungo le pareti laterali erano state allestite gradinate per vari ordini di spettatori, mentre nel lato di fronte all'altare stava la tribuna riservata alla corte, rivestita «alla divisa ducale di broccato d'argento, cioè bianco e morello fatto a quarti». L'altare, trasformato in palcoscenico, era nascosto da un sipario di raso davanti al quale erano state disposte delle panche per le maschere che avrebbero animato la prima parte dello spettacolo.

La festa aveva lo scopo di rendere omaggio a Isabella davanti a tutti i notabili milanesi, per farla sentire vera signora della città: ecco perché non furono invitati rappresentanti dei vari stati italiani, tranne quelli residenti a Milano.

Dato il carattere locale della manifestazione, gli inviti furono diramati soltanto tre giorni prima della festa: «Da tre giorni innanti la sopra detta festa, questo Ex.mo Duca di Milano fece invitare circa cento damiselle et gentildonne de le più belle e più ricche di questa città; et così tutti gli oratori, consiglieri, magistrati et gentilhomini per oggi, 13 gennaio 1490 alle hore XX (le due del pomeriggio), tutti vestiti de colore honorevolmente.» Ludovico si presentò abbigliato «alla spagnola», «vestito di velluto liscio morello, foderato di zibellini a la spagnola, con una cappa de panno negro a la spagnola, foderata tutta de broccato de oro in campo bianco et così il cappuccio». Il duca invece «era vestito di broccato d'oro riccio molto bellissimo, in campo cremisino: il quale aveva al collo un grandissimo balasso et ne la beretta un gran diamante in punta con una grandissima perla».

L'abbigliamento di Gian Galeazzo è lo stesso indossato per le nozze: evidentemente non aveva voluto vestirsi alla spagnola, come aveva fatto Ludovico per rendere omaggio alla sposa.

«Assettato ogni homo, se cominciò a sonare per li pifferi et tromboni. Sonato un poco, furono fatti restare de sonare: et fu comandato a certi sonatori de tamborini, che sonassero certe danze napolitane.»

A questo punto Isabella, la festeggiata, apre le danze:

«La Ill.ma et Ex.ma duchessa Isabella, per dare principio a la triumphante sua festa, accompagnata dall'oratore regio, discese giù dalla tribuna, vestita alla spagnola, con un mantello di seta bianca sopra la giubba, qual'era di broccato d'oro in campo bianco, adonizzato d'altri colori, come se costuma all'usanza spagnola, con un gran numero di gioie et perle intorno, la quale era bella e pulita che pareva un sole; et andò nel mezzo della sala, dinanti alla tribuna, dove vennero tre sue camerere et ballò due danze; et retornò al loco suo, et finì di sonare li tamburini».

Pensando alla predilezione di Isabella per Cecilia Gallerani – autentica o dettata dall'opportunità – non sembra una forzatura ipotizzare che l'amante del Moro, sicuramente presente alla festa, fosse stata coinvolta in qualche numero dello spettacolo: forse, visto che la duchessa amava farla vestire alla spagnola, era una delle tre damigelle che avevano danzato con lei; e poiché il ritratto di Leonardo appartiene allo stesso periodo della festa del Paradiso, il costume indossato potrebbe essere quello raffigurato nel quadro.

Anche nella coreografia successiva comparvero costumi spagnoli: il programma prevedeva infatti una nutrita sequenza di numeri di ballo simboleggianti le varie nazionalità europee, che venivano a omaggiare Isabella dedicandole danze caratteristiche dei loro paesi. I personaggi del primo gruppo rappresentavano appunto la Spagna:

«Vennero otto maschere vestite alla spagnola, quattro da homo e quattro da femmina, accompagnati insieme da un homo e una donna, li quali erano vestiti con cappe fatte a quarti, mezzo broccato d'oro e mezzo velluto liscio verde; e le donne spagnole erano tutte vestite di seta, con li suoi mantelli de vari colori, con molte gioie intorno. Li quali si presentarono dinanti alla Ill.ma duchessa Isabella, e le dissero da parte della regina e del re di Spagna che, avendo inteso le loro maestà della trionfante festa che faceva sua Ex.tia, li havevano mandati ad onorarla. I tamburini cominciarono a sonare, e detti spagnoli et spagnole cominciarono a ballare insieme, e ballarono due balli molto bene e pulitamente. Finito il ballo, furono posti a sedere sulle panche e fu poi comandato a li pifferi che suonassero, e le altre maschere, che erano venute a la festa, ballarono uno ballo ovvero più d'uno, come si costuma qui de fare tre o quattro balli uno dietro l'altro».

Seguendo lo stesso schema, dopo gli spagnoli si fecero avanti polacchi, ungheresi e turchi a cavallo.

Approfittando di un intervallo, Ludovico «se partì de suso la festa e se mutò de panni, e retornò con una turca de oro tirata, la quale era molto bellissima».

Dopo essersi posto al centro dell'attenzione con questo sfoggio di eleganza, Ludovico fece riprendere la sfilata delle maschere, che prevedeva ancora i messaggeri dell'imperatore e del re di Francia.

Conclusa la prima parte della festa, in una fantasmagoria di costumi e di colori, alle cinque e mezza del pomeriggio lo spettacolo entrò nel culmine e si alzò il sipario di raso. Dietro a un velo di garza apparve la strabiliante macchina di Leonardo, descritta dal Bellincioni nel suo libretto:

«Il paradiso era fatto a la similitudine di un mezzo uovo, il quale dentro era tutto messo a oro, con grandissimo numero di lumi a riscontro di stelle, con certe fessure dove stavano tutti i sette pianeti, secondo il loro grado alti e bassi. Attorno l'orlo di sopra del mezzo tondo erano i dodici segni dello zodiaco con certi lumi dentro dal vetro».

Bellincioni intendeva dire che i simboli dei segni zodiacali erano stati inseriti in bocce di vetro; annotò Leonardo nel *Codice Atlantico*: «Queste palle essendo di vetro sottile e piene d'acqua renderanno gran luce».

Un bambino vestito da angioletto rimosse il velo dando inizio alla rappresentazione. «Nel mezzo del paradiso era Giove con li altri pianeti, secondo il loro grado. Cantato et sonato un pezzo, se fece poi silentio ad ogni cosa: et Giove con alcune accomodate et bone parole ringratiò il sommo Dio che li avesse conceduto de creare al mondo una così bella, leggiadra, formosa et virtuosa donna com'era la Ill.ma et Ex.ma duchessa Isabella.

Apollo, che era di sotto, si meravigliò delle parole che disse Giove, et se dolse che avesse creato al mondo una più bella et formosa creatura di lui. Giove gli rispose che non si doveva meravigliare perché, quando creò lui, si riservò di poter creare una più bella et formosa creatura, et che fin qui l'aveva riservato per concederlo alla Ex.ma Madonna duchessa et che voleva scendere in terra per esaltarla et gloriarla. Et così discese dal Paradiso con tutti gli altri pianeti et andò in vetta de uno monte, et de grado in grado detti pianeti se li posero a sedere appresso. Come furono tutti assettati, mandò per Mercurio a notificare a Madonna com'era disceso in terra per honorarla et exaltarla et donarle le tre Grazie et accompagnarla dalle sette Virtù. Udito questo li sei pianeti tutti ad uno ad uno ringratiarono Giove de la rivelatione che li aveva fatto di una tanto bella et virtuosa donna che haveva creato al mondo, et ciascuno di loro offerse la virtù et possanza sua. Giove comandò a Mercurio che andasse per le tre Gratie et per le sette Virtù. Apollo concluse che, se pur aveva deliberato di farle tanto dono, a lui concedesse gratia che ei fusse quello che gliele presentasse; et Giove li concesse la gratia. Ritornò Mercurio con le tre Gratie legate in un capestro con sette ninfe e sette virtù, le quali ninfe avevano ciascuna una torcia bianca in mano. Apollo andò da Madonna Isabella et con molte parole dolci e suavi le presentò da parte di Giove, et dette le parole le donò un libretto, il quale conteneva tutte le parole della detta rappresentatione; nel quale libretto era alcuni sonetti fatti in laude et gloria de potentati de li oratori che erano presenti, et a tutti detti oratori ne fu dato uno per ciascuno.

Le tre Gratie cominciarono a cantare in laude de la Ill.ma duchessa Isabella. Finito di cantare, cantarono le sette Virtù in laude pure de la sua Ex.tia. Et accompagnarono quella in camera insieme con le tre Gratie. Et fu finita la festa: la quale fu tanto bella et bene ordinata quanto al mondo sia possibile a dire. Di che tutti quelli che si sono trovati presenti ne hanno a riferir gratie al nostro signore Dio et a lo Exc.mo signor Ludovico che li ha dato tanta gratia e piacere di avere visto una tanta festa così trionfante e bella.»

Non fu probabilmente l'ingarbugliato testo di Bellincioni a suscitare l'entusiasmo dei presenti, quanto l'immaginifica scenografia leonardesca e il carosello inziale delle maschere, sotto le quali si celavano dame e cavalieri che il pubblico si era divertito a individuare.

Nello splendente gruppo delle danzatrici abbiamo incluso Cecilia Gallerani, ma non possiamo fare che ipotesi.

Non sappiamo neppure se i suoi rapporti con Isabella d'Aragona si mantenessero cordiali: un anno dopo sarà proprio la duchessa a pretendere dal Moro l'allontanamento di Cecilia, ma per il momento aveva tutt'altro a cui pensare.

Gian Galeazzo non dava ancora cenno di voler assolvere i doveri coniugali; la notizia ad aprile era arrivata fino in Ungheria, in una lettera indirizzata da Eleonora d'Este a sua sorella, la regina Beatrice: «Voglio che la maestà vostra sappia che la duchessa Isabella (la quale era loro nipote, essendo sorelle di Alfonso d'Aragona, n.d.a.) è così pudica e vergine in Milano come quando l'è partita da Napoli, et per quanto si vede e si comprende, pare che la sia in via de durare cussì longamente, a li modi che si tengono verso di lei, sicché si può pensare come la debbe stare contenta et consolata!».

Ma, quando più nessuno credeva a una possibile soluzione e una commissione inviata da Napoli stava per giungere a verificare la nullità del matrimonio, ecco che Isabella in un soprassalto d'orgoglio chiede di poter fare un ultimo tentativo; la voce si sparge subito in tutte le corti. Scrive il 24 aprile 1490 il legato pontificio a Innocenzo VIII: «La Duchessa è tornata presso lo sposo a Vigevano: si dice che debbano provarcisi per un mese; conceda il Signore che questo mese apporti ciò che in quindici fu cercato invano».

Il duca sembra disposto a mostrare buona volontà e va festosamente incontro alla moglie col fratello Hermes e un cortigiano: «Questa Ill.ma Madonna Duchessa andette a Vigevano a trovare l'Excellentia del signor Duca suo consorte – scrive il Trotti – et fare l'ultima prova cum sua Signoria. Alla quale Duchessa di qua dal Ticino le venne incontro travestito alla franzosa il signor Duca col marchese Hermes et messer Antonio Visconte; et dopo alcune burle se mostrorno et cum gran letitia se ne andorno in compagnia a Vigevano, dove che per la via furono scontrati dal signor Ludovico et da tutto il resto della corte; et quella sera cenette Madonna Duchessa cum el signor Duca. Et, venuta l'hora di riposare, andettero in letto, et ipso facto sopraggiunsero al signor Duca le febbri fredde, le quali gli durettero tutta la notte, et per ragione di tale accidente la cosa ristette sopita. La quale però è leggera e si spera che presto el sarà gagliardo».

Mancando le lettere successive del Trotti, è dal legato pontificio che apprendiamo il lieto fine degli sforzi di Isabella: «Castra expugnata dicuntur – scriveva il 27 aprile – le castella sono state espugnate: così si dice. E la porta rimasta fin qui chiusa, ora dicono sia aperta. Lei medesima, con virginale verecondia, in qualche modo lo ammette. Esulta la corte, esulta il popolo di Vigevano, non altrimenti che se già si parlasse di parto».

Il 4 maggio riprende la cronaca del Trotti, stupefatto davanti all'incredibile trasformazione di Gian Galeazzo: «Questo Ill.mo Duca ogni dì persevera di ben in meglio cum la sua Ill.ma consorte, et fa mirabilia de die et de nocte contra la opinione di questa brigata. Et tanto se voleno bene insieme quanto mai ne volse marito et moglie, et questo è evangelio, che è uno miraculo venuto da nostro Dio cum grande admiratione de quicumnque».

L'effetto di questo miracolo è immediato: Isabella a maggio è già incinta, anche se il Trotti solo ad agosto diffonde la notizia, confermando il perdurante ardore fra i due sposi: «La Duchessa de Milano è gravida et gelosa del signor Duca grandemente, et el Duca è un poco stemperato di stomaco per lavorare troppo il terreno».

A luglio anche Cecilia era rimasta incinta, un anno dopo essere arrivata al Castello: ma l'erede sperato dal Moro non poteva essere un figlio naturale, anzi gli era necessario più che mai un erede legittimo.

Secondo i progetti di Ludovico, il matrimonio con Beatrice avrebbe dovuto svolgersi proprio in quell'estate: ma erano sorti problemi di dote. Le trattative si erano arenate sulla dote di Anna Sforza. Poiché contemporaneamente alle nozze tra Ludovico e Beatrice si sarebbero svolte quelle tra Anna e Alfonso d'Este, da Ferrara si pretendeva che Ludovico assegnasse una dote principesca alla nipote: centocinquantamila ducati, la stessa fissata per la sorella maggiore, Bianca Maria. Dalla dote di Anna sarebbe stata scalata la più modesta dote di Beatrice, di quarantamila ducati. Ma Ludovico era già in difficoltà per l'esborso della dote di Bianca Maria, inoltre l'usanza sconsigliava che una sorella minore si sposasse prima della maggiore, quindi i matrimoni sforzesco-estensi per il momento si arenarono nei viluppi delle trattative.

Un altro punto su cui il Moro aveva insistito era quello di sposarsi a Ferrara, «a la domestica», ma anche qui le pretese estensi, soprattutto della duchessa madre Eleonora, erano ben diverse, e imponevano nozze a Milano in gran pompa.

Le trattative procedettero senza giungere a una soluzione fino al novembre del 1490. Il Trotti stesso consigliava al duca d'Este di adeguarsi alle richieste del Moro, perché essendo lui «gran signore et duca di Milano in effetto, come lo è et come lo è tenuto, stimato et reputato effettivamente da tutte le potentie d'Italia» sarebbe stato un onore per Ferrara «che li venga così domesticamente a casa vostra a sposare una vostra figlia, se ben forse sarà cum qualche poco più di spese di Vostra Signoria».

Eleonora non vuol cedere: forse ha il suo peso anche il desiderio di accompagnare la figlia a Milano per respirare l'aria di una corte tanto celebrata.

Finalmente Ludovico, in collaborazione col Trotti, escogita un accettabile compromesso: a Milano, e con gran pompa, sarebbe stato celebrato il matrimonio tra Anna e Alfonso, mentre Ludovico e Beatrice si sarebbero sposati con cerimonia intima a Pavia, evitando così fastidiose competizioni: «In secreto me dixe che la ragione per la quale voleva sposare et acompagnarse cum sua moglie a Pavia era perché, conducendola a Mediolano et facendo in la ecclesia cattedrale li sermoni e le parole per verba de presenti cum quelle sumptuositate et cerimonie che richiederìa tale cosa, chiunque dirìa che il signor Ludovico volesse essere uguale al duca de Mediolano; et facendo etiam feste et balli, se dirìa ch'el facesse a sua moglie quello che non fu facto per la duchessa de Mediolano».

Ma il Trotti intuisce anche un altro ordine di preoccupazioni: «Io stimo che, oltre a questo, anche la spesa gli gravi».

Il Moro, dopo aver acconsentito a sobbarcarsi l'organizzazione e le spese di entrambi i matrimoni, chiede di essere almeno informato per tempo dell'entità della comitiva che avrebbe partecipato alla spedizione: «Lo Ill.mo signor Ludovico è in tutto e per tutto contento di seguire la volontà vostra – annuncia il Trotti fiero della sua mediazione – pregandomi che quando scriva alla Celsitudine vostra li debba fare intendere s'el dormirà in nave, et come, et chi alloggerà a terra di masculi et femmine, per ordinare le cose sue, per cammino et viaggio, al meglio che potrà. De la quale comitiva, et del tutto, el vorrìa la lista, excusandose se haranno mali et cattivi alloggiamenti et triste giornate, et che siano in acqua più che non vorrebbero». Aggiunge poi di sua iniziativa: «Bene vi conforto a non mandare troppo grossa compagnia di femmine».

Sulla data però Ludovico non transige: viene fissata da Ambrogio da Rosate che, confrontando le date di nascita degli sposi con le posizioni dei pianeti e delle costellazioni, indica come propizio il mese di gennaio, non oltre il giorno 18. Ludovico insiste quindi affinché la sposa arrivi a Pavia in tempo utile, «perché al 18 possa sposare et congiungerse cum epsa, perché non essendo là a detto termine, potrìa passare diversi giorni et forse anche qualche mese ch'el non potrìa ni sposare ni acompagnarse».

Quanto al matrimonio tra Anna Sforza e Alfonso d'Este, gli astrologi suggeriscono la data del 23 gennaio, «ma chiaramente et determinatamente non possono rispondere non havendo la nativitate dell'Ill.mo domino Alfonso, sebbene hanno quella de Madonna Anna; per la qual cosa il signor Ludovico desidererìa che subito gli fosse data notitia d'epsa nativitate».

Poiché il viaggio da Ferrara a Milano in quella stagione sarebbe stato sicuramente disagevole, Ludovico non solo auspicava che il gruppo estense non fosse troppo numeroso, ma soprattutto sconsigliava la partecipazione della duchessa Eleonora, «per li mali tempi e li pessimi alloggiamenti».

Secondo il Trotti, però, il Moro aveva altre ragioni per evitare la presenza a Milano della suocera; prima di tutto, il fatto che la duchessa di Ferrara avrebbe potuto essere influenzata negativamente dalle lagnanze e recriminazioni della nipote Isabella: «Io vado pensando cum l'animo che forse il signor Ludovico non fosse molto contento de la venuta qua de madonna Duchessa vostra, per respecto di questa Duchessa, per fuggire da le ciance come fa».

In secondo luogo, la duchessa Eleonora avrebbe potuto sollevare delle obiezioni sulla presenza a corte di Cecilia. Un anno prima il Trotti, segnalando l'insediamento della giovane bellissima amante del Moro, aveva lasciato trasparire la preoccupazione che potesse trasformarsi in un problema, al momento dell'arrivo di Beatrice; ora vedeva avverarsi i suoi timori, perché la posizione della Gallerani era più solida che mai, e Ludovico non pensava affatto a separarsene. Voleva quindi tener lontana la suocera «per respecto di quella sua innamorata che tiene in castello, et dappertutto dove il va; a la quale vole tutto il suo bene et è gravida et bella come un fiore et spesso me mena con lui a vederla. Ma il tempo, che non è da sforzare, acconcia ogni cosa. De la quale quanto meno si mostrerà di fare caso, tanto più presto se ne distoglierà, non lo dico senza cagione».

Poco più di un anno è passato dal primo accenno alla presenza di Cecilia nella vita del Moro e l'immagine di lei appare al culmine della sua parabola: se prima l'aveva descritta come una «puta» ancora in boccio, ora elogia la splendente bellezza di un fiore nel suo pieno rigoglio, ma proprio per questo più vicino al declino.

Con la sua indulgenza nei confronti dell'amata del Moro, il Trotti sembra voler procrastinare il più possibile l'inevitabile momento di crisi. Per il momento è prematuro indisporre Ludovico con inutili predicozzi. Del resto è già nota la filosofia dell'anziano oratore ferrarese: tanto più una cosa ci viene negata, tanto più la desideriamo. Allora, è meglio lasciar fare al tempo.

Cecilia poteva inalberare con fierezza la sua gravidanza perché il figlio, come del resto era nell'uso, sarebbe stato riconosciuto ufficialmente, e allevato alla corte. Inoltre, il suo allontanamento dal Castello sarebbe stato prorogato fino al momento del parto.

Una volta insediata la legittima sposa, però, il suo ruolo sarebbe stato ridimensionato: la relazione avrebbe anche potuto continuare, ma non sarebbe più stata lei ad apparire al fianco del Moro, anzi avrebbe dovuto defilarsi il più possibile. Una sensazione amara, dopo aver calcato il palcoscenico da protagonista.

L'arrivo di Beatrice era ormai l'evento attorno al quale si catalizzava l'attenzione della corte. Scriveva il Trotti il 2 dicembre: «Qua non si dorme a metter ordine a le cose che si hanno a fare per la venuta qua di vostra figlia et per la venuta di Madonna Anna vostra nuora a Ferrara».

Trionfi e onori sarebbero stati ufficialmente per Anna e Alfonso, ma in realtà Ludovico si apprestava a magnificare se stesso e la sua sposa. La festa, metafora della vita rinascimentale, apparato tanto ingegnoso e abbagliante quanto effimero, dispensava bellezza e gioia a chi ne aveva diritto per nascita: per questo la giostra, riservata ai cavalieri d'alto lignaggio, era considerata il vertice delle manifestazioni celebrative.

Sulla piazza antistante il Castello, teatro delle sfide cavalleresche, viene eretta un tribuna con triplice ordine di pali, e sulla destra si monta un amplissimo palco «acciò che ad uno medesimo tempo si possa giostrare et ballare».

Anche Gian Galeazzo avrebbe desiderato esibirsi: non essendo abbastanza abile da partecipare allo scontro frontale della giostra, chiede almeno di poter «bagordare», cioè caracollare nel mezzo della lizza come succedeva nelle competizioni a squadre dei tornei. Ludovico però, sempre timoroso che il duca, ormai ventunenne, si metta in mostra e sia acclamato dal popolo, glielo nega: «Manco ha voluto fargli il piacere di lasciarlo bagordare come Sua Signoria desiderava – lo compiange il Trotti – per la quale ragione non vuole che si tornei, ma sì che se giostri».

Come sempre Gian Galeazzo si piega ai voleri dello zio, accontentandosi di comparire, solo pro forma, come firmatario degli inviti ai festeggiamenti, diramati il primo dicembre: toccava a lui, in quanto ufficialmente le feste erano fatte per le nozze di sua sorella Anna. Il testo dell'invito è naturalmente ispirato dal Moro, che ci tiene a far notare ai suoi ospiti come i milanesi generosamente si accollino spese che in realtà competerebbero ai genitori dello sposo: «Noi havemo deliberato de fare sposare questo mese de Zennaro proximo la Ill.ma Anna nostra sorella a lo Ill.mo Dominus Alfonso de Este, primogenito de lo Ill.mo signor duca de Ferrara, quale ha da venire in compagnia de la Ill.ma duchessa sua madre et de la Ill.ma Madonna Beatrice, consorte de lo Ill.mo signor Ludovico nostro amatissimo barba et padre. Et benché non sia consuetudine de fare inviti et festa a quelli che mandano le spose, ma pertenga al sposo, tuttavia, volendo noi onorare la predetta Ill.ma Duchessa et Ill. madonna Beatrice cum far demostrazione de l'amore che portiamo a la nostra sorella, ce parse invitarla et farli intendere che faremo fare una bella giostra, confortandola a venire per honorare la detta giostra menando con sé qualche bon giostratore de li suoi».

Fra tante adesioni, si riceve anche uno sgradevole rifiuto: il marchese di Mantova, Francesco Gonzaga, non parteciperà perché negli stessi giorni, come capitano generale dell'esercito della Serenissima, è convocato a Venezia. Ludovico col Trotti manifesta in proposito «un pochetto de mosca», cioè un certo dispetto: «Il signor Ludovico mi mostrò una littera che li scrive l'Ill.mo Marchese de Mantova, per la quale littera Sua Signoria fa le excuse di non poter venire a queste feste de giostre, perché la Ill.ma Signoria de Venetia vole ch'el vada a Venetia, sicché el non venirà, né mandarà alcuno a la giostra, subgiungendo in ipsa littera che venirà la Ill.ma Marchesana sua moglie, con centoventi bocche et cavalli et fanti. La quale littera non è piazuta al signor Ludovico, né per la prima né per la seconda parte, et cum me ne ha parlato molto largamente cum un pochetto de mosca, dicendo che Sua Signoria il Duca de Mediolano mandette a Mantova giostratori et ambasciatori ad honorare le sue nozze et giostra (Francesco Gonzaga aveva sposato Isabella d'Este nel febbraio del '90, n.d.a.); inoltre che, ne la lista che venne da Ferrara, la comitiva de la marchesana era de cinquanta bocche et trenta cavalli, che è molto differente da quello che el signor Marchese scrive».

Anche al Castello fervono i lavori: è necessario allestire al meglio le camere per gli ospiti, adornando i letti con cortine e coperte di broccato d'oro e d'argento; le pareti vengono rivestite di drappi e infestonate di profumato ginepro, edera, alloro, intrecciati a motivi floreali. Complicati i problemi di logistica, per sistemare le dame di casa d'Este «così contigue da potersi dare la mano».

I saloni di rappresentanza del Castello non sembrano sufficienti ad accogliere lo sterminato numero di invitati: Ludovico pensa allora alla vastissima sala della Balla, di novecento metri quadrati, che però è piuttosto disadorna, e lì per lì decide di trasformarla in una trionfale galleria, con grandi tele a tempera sulle gesta di Francesco Sforza. Il sovrintendente ai lavori asserisce che l'opera non è realizzabile, sia per il poco tempo a disposizione, sia per la stagione umida, nociva alla pittura, ma Ludovico non accetta rifiuti. «Allora è necessario fidare sulla fortuna e superare lo scoglio della necessità con l'ingegno e l'opera» – commenta in forbito latino lo storico Tristano Calco, autore delle cronache ufficiali – «Mancava poco più di un mese alle nozze, quando viene diramato l'ordine alle città soggette che tutti i pittori convergano a Milano per adornare il castello.»

La precettazione arriva a radunare una trentina di pittori, con allievi e garzoni; a Treviglio sono ingaggiati Bernardo Butinone e Bernardino Zenale. Perentorio il tono dell'ordinanza di Ludovico al podestà, datata 8 dicembre: «Havendo noi deliberato de fare al presente cum omne celerità possibile dipingere la Sala nostra de la Balla a Milano ad historia, volemo et commettemo che, sotto la pena de venticinque fiorini et ulterius de la disgratia nostra, comandi ad Magistro Bernardo di Gennaro et Magistro Bernardino, dipintori in quella nostra terra, che fra un giorno post la ricevuta di questa, con due suoi garzoni vadino a Milano et faccino capo da Ambrosio Ferrario nostro commissario generale sopra li lavoreri, dal quale intenderanno che haveranno ad fare, et in questo non mancherai se hai cara la gratia nostra».

Non sono documentati gli ingaggi dei pittori residenti a Milano, ovviamente i primi a essere reclutati: probabili fra loro il Bergognone e il Bramantino. Esclusa invece la partecipazione di Leonardo, non disponibile a imprese precipitose.

«Grazie alla loro solerzia e alle continue notti in bianco – continua il Calco – si riesce a portare a buon fine un'opera che avresti detto fattibile a fatica in tre anni. Ed ecco, si vide Francesco Sforza nell'atto di guidare le schiere dei soldati e di promulgare leggi, ed ogni altra impresa egregia dell'eroe. Sopra le travature, a grande altezza, viene disteso un panno celeste trapunto di stelle d'oro.»

In quattro cassoni «fatti a rilievo sopradorato» e in altre dodici casse dipinte e dorate si ammassava intanto il corredo di Anna: fra i gioielli sono elencate millecinquantasei perle, divise per caratura, che sarebbero state utilizzate per applicazioni e ricami; poi fermagli, collane, un «gioiello nel quale è uno smeraldo, un rubino, un diamante et una perla pendente, e un Agnus dei tempestato di perle, rubini e diamanti con una catena d'oro». Fra i vestiti sono registrate sei vesti, in raso, damasco, broccato d'oro e d'argento «fatte alla milanese»; sette camore di velluto, raso, broccato d'oro e d'argento; una cappa di velluto scarlatto; tre vestiti di broccato d'oro, d'argento e di velluto morello; tre fodere di pelliccia, due turche di seta foderate pure di pelliccia, una mantellina di velluto cremisino, sei paia di foderette di tela di Cambray e del Reno ricamate e foderate di raso a diversi colori; trenta camicie di tela lavorata, pezze di tela per lenzuola, uno «sparavero» di tela del Reno, centodiciannove moccichini, quarantotto fazzoletti di seta da collo, tovaglie e tovaglioli, tredici pezze di nastro nero di seta, altre dodici di corda di seta. Non potevano mancare le tipiche «agugie»: Anna portava infatti a Ferrara ben ventiduemila tra aghi e spilli.

Mercoledì 29 dicembre, circa alle undici del mattino, la carovana ferrarese si avvia: non sui bucintori, com'era stato programmato, perché il Po, in quella stagione che fu eccezionalmente gelida in tutta Europa, si era ghiacciato, ma sulle «lilze», cioè dei carri muniti di pattini al posto delle ruote.

La comitiva è imponente, composta di circa seicento persone. Alla testa la duchessa madre, Eleonora, e il cognato cardinale Sigismondo, fratello del duca, poi i novelli sposi: Beatrice, di quindici anni, e Alfonso di quattordici. Con l'altra sorella, la sedicenne Isabella, marchesana di Mantova, si incontrano tra Viadana e Brescello, al di là del Po, dove il fiume è navigabile, e lì sono raggiunti dai bucintori sforzeschi, dove si imbarcano.

Come Ludovico aveva previsto, i disagi del viaggio non sono pochi. Ne rimane un cronaca spiritosa nella lettera di una dama di compagnia di Isabella, scritta al marchese Gonzaga, l'8 gennaio: «Partiti col bucintoro, restò la nave delle vettovaglie tanto indietro che per quella mattina disnassimo cum li guanti in mano, et alcuni non mangiorno niente, tra i quali fui io. Et arrivassimo alla ripa de Toresella circa le tre hore de nocte (le nove di sera) pur senza la nave de la dispensa, per modo che se madonna Camilla non havesse mandato la cena, io ero fatta santa del paradiso. Quando venne l'hora di dormire, ricordandone de havere così triste stanza come è questo bucintoro tutto busato, ne fuggiva la voglia de andare a letto, et la poveretta de la Ill.ma madonna marchesana, sentendose fredda et senza foco, cominciò a dolerse, dicendo che l'era morta. Di che mi venne tanta compassione che non potei retenere qualche lacrima. Finalmente se pose a letto et me chiamò appresso perché la scaldasse. Io per ubidirla andai, ma le augurai vostra Signoria, parendome tristo baratto, et male atta a scaldarla come farìa la Signoria Vostra, non havendo io il modo. Et così havemo cominciato a gustare queste nozze per le quali, avendo a patire ogni dì simili disconzi, dubito non gli potere durare, et però ho deliberato de fare testamento, lasciando la ex.tia vostra mio commissario».

Isabella e la sorella Beatrice, che ormai viene chiamata duchessa di Bari, titolo a cui avrà diritto come moglie di Ludovico, sopportano i disagi, i «disconzi», abbastanza stoicamente, come scrive Isabella al marito il 13 gennaio: «Siamo venuti continuamente in nave, et dormivali cinque notti, che non si può dire sia stato troppo accomodante. In questo viaggio non è accaduto cosa digna de avviso, se non che, guardando a li disconzi, madonna la duchessa di Bari et io siamo state gagliarde. Dominica se farà l'entrata a Pavia, dove sarà lo Ill.mo signor Ludovico, et dicesi che si starà lì cinque giorni».

Tutto è pronto a Pavia, per le illustri nozze. Ludovico aspetta la sposa. Cecilia è sicuramente rimasta a Milano: questa volta il Moro non l'ha portata con sé. I sentimenti devono far posto a considerazioni di ordine politico. La compagna del duca di Bari dovrà contribuire, con il peso del suo autorevole casato, a fargli ottenere il ducato di Milano. A Cecilia non resta che giocare bene le sue carte per ottenere il massimo di buonuscita.

# CAPITOLO VI

# ARRIVA BEATRICE

«SEMPRE IL SIGNOR LUDOVICO ANDETTE parlando cum sua moglie et examinandola bene; il quale, da poi, me ha dicto che non lo potrìa più satisfare e piacere come gli fa, e che la sua presentia ha accresciuto la fiamma, e che al mondo non se potrìa più accontentare.»

La prima impressione del Moro su Beatrice, riferita dal Trotti, sembra improntata all'entusiasmo, ma rispecchia le formule d'uso. Trattandosi di un matrimonio condizionato dalle circostanze politiche, quello che premeva accertare era se la sposa possedesse una personalità in grado di brillare a corte, una cultura adeguata e un aspetto sano, presumibilmente adatto a procreare. Ludovico non si aspettava certo una bellezza comparabile a quella di Cecilia Gallerani.

Dai ritratti ufficiali, pur solitamente lusinghieri, il viso di Beatrice appare infantile, pienotto, col naso all'insù e un accenno di prognatismo. Di corpo era bassa e tozza, lo ammetteva lo stesso Trotti: «È piccola di persona, ma grossa e grassa». Però i canoni di bellezza concedevano una certa ridondanza delle forme, perché la pinguedine era considerata segno di salute e di benessere materiale.

Nonostante «i disconzi», la comitiva ferrarese era arrivata puntuale il 16 gennaio, dopo un viaggio di venti giorni che aveva messo a dura prova l'umore dei passeggeri, soprattutto di Isabella d'Este, che nel suo resoconto al marito si mostra indispettita per le accoglienze inferiori alle aspettative, incominciando dal fatto che Ludovico non era andato loro incontro sulla strada, ma aveva atteso alle porte di Pavia:

«Alcuno non c'è venuto incontro. Lo Ill.mo signor Ludovico se appostò a la ripa del Ticino appresso la porta, accompagnato da li illustri signori marchese Hermes, i Sanseverineschi e molti altri signori. Fermato il Bucintoro, el signor Ludovico venne dentro e tocava la mano de la Ex.ma Madonna nostra madre e movessimo fora e montassimo a cavallo, la Duchessa de Bari e io cum dodici donne. Madonna venne in carretta cum le altre. La duchessa de Bari venne al passo cum Ludovico, et io cum el signor dominus Alphonso, ni da altro che li suoi staffieri fu accompagnata la sposa, et cussì venissimo a desmontare in castello, dove ce ricolsero diverse gentildonne. Adornamenti né alcuna altra demostratione aut festa è stata fatta».

Molto diversa la valutazione degli stessi avvenimenti, data dal Trotti al duca d'Este:

«Al porto, di sotto del ponte circa un miglio, era lo Ill.mo signor Ludovico cum alcuni signori e gentilhomini, il quale intrette in bucintoro e fece gran feste e careze a sua socera et a sua moglie, al vostro figliolo, a vostro fratello e a la Ill.ma Marchesana de Mantova vostra figlia; e, smontati de nave, montassimo a cavallo et andassimo al castello, dove era tanta quantità e numero de donne e de homini, che era uno miraculo».

Tra le «gran feste et careze» del Trotti, e il riduttivo «alcuna demostratione aut festa» di Isabella c'è una stridente contraddizione. Oltre alla stanchezza, l'invidia sembra deformare la percezione di Isabella, che non accenna nemmeno alla magnificenza del castello di Pavia, pieno di opere d'arte che lei, così attenta a costruirsi un'immagine d'intenditrice, avrebbe dovuto immediatamente apprezzare.

Di maggior tatto dà prova la duchessa madre Eleonora: Isabella l'ha descritta «in carretta», come se fosse affaticata dal viaggio, in realtà aveva scelto quel mezzo di trasporto per non mettersi tra figlia e genero. Secondo il Trotti, Madonna aveva evitato di andare a cavallo «per non trovarsi né dinnanti né dietro alla figlia Beatrice, a ciò che non si dicesse che accompagnasse la vacca al toro, che ha dato da ridere a la brigata».

Beatrice, al centro dell'attenzione, è comprensibilmente timida e impacciata; in compenso sua sorella, superato il malumore dell'arrivo, sfodera una travolgente vivacità che seduce Ludovico, il quale di sicuro rimpiange di averla chiesta in moglie qualche giorno troppo tardi e di essere stato così dirottato sulla sorella.

L'ardore di Ludovico nei confronti delle sorelle estensi, spontaneo per la maggiore, doveroso per la minore, rende euforico il Trotti: «L'Ill.mo signor Ludovico non cessa né suga bocca de commendar la qualità, conditione et gratia de sua moglie et de la Ill.ma Marchesana, et resta mirabilmente satisfacto et contento».

Quel giorno, il 17 gennaio, è dedicato alla firma del registro dotale: Ludovico riceve formalmente quarantamila ducati, che saranno in realtà scontati dai centocinquantamila della dote di Anna; inoltre gli Estensi aggiungono, secondo le usanze, gioielli per l'ammontare – piuttosto modesto – di undicimila ducati. Il contratto matrimoniale di Beatrice è tutto a vantaggio della famiglia di lei, ma Ludovico sottoscrive «senza veruna difficoltà e veruno strepito in optima forma».

Per il resto della giornata, il Moro gioca a palla e va a caccia col giovanissimo cognato Alfonso, il quale personalmente uccide quattro cervi con la scimitarra.

Il giorno dopo l'arcivescovo di Milano, giunto appositamente, celebra le nozze in forma privata, come aveva desiderato Ludovico. Dopo lo sposalizio il Moro offre alla sposa splendidi doni, descritti dettagliatamente da Isabella d'Este al marito: «Due balassi legati in pendente, uno cum uno diamante et una perla grossa, l'altro cum uno smeraldo et una perla grossa; et oltre di questo, una filza de centoventi perle, et allora feceli etiam consegnare la familia che le ha deputato».

Questa «familia» è il nutritissimo gruppo di servitori assegnati a Beatrice, molto superiore a quello della duchessa di Milano: tra uomini e donne, paggi, sescalchi e scudieri erano circa ottanta persone, senza contare il «magistro de stalla» con i cavalli da sella.

La generosità del Moro e il lusso della corte risvegliano sicuramente in Isabella il rammarico di non essere al posto della sorella, tanto più che tra lei e Ludovico si è instaurata subito una piacevole sintonia: «Io sono multo accarezata et honorata dal signor Ludovico».

Le attenzioni del Moro verso Isabella d'Este sono notate anche dal Trotti, che riferisce al suo signore: «Oltremodo gli piace lo Ill.mo signor dominus Alfonso et le piacevoleze de la Ill.ma marchesana, che è tanto alegra e domestica madonna quanto dire se possa, e fa domesticare insieme il duca e la duchessa di Bari, perché la duchessa sta un poco vergognosetta e respectosa, forse per essere sposa, et in quello che le manca, supplisce la marchesana».

Quando gli sposi si ritirano per la notte, il Trotti veglia, un po' in ansia: «Questa nocte el dorme cum essa. Non so ancora come le cose saranno passate, che spero bene, ma ne sarà subito vostra Ex.tia advisata, perché la sposa è stata molto bene admonita et advertita de ogni cosa».

Il 21 gennaio, ingresso solenne dei ferraresi a Milano e incontro con i duchi, rimasti a presidiare la capitale. Beatrice d'Este conosceva molto bene la cugina Isabella d'Aragona, perché durante l'infanzia aveva passato otto anni a Napoli: sua madre Eleonora, nata aragonese, aveva infatti voluto che le figlie fossero educate alla corte di suo padre. Giudicando dai loro rapporti formalmente corretti ma in sostanza conflittuali, si può supporre che fin da bambine si fossero giurate una di quelle corrusche antipatie infantili che non si superano nemmeno da adulti.

«Questa matina prima delle hore XIII (le sette del mattino) – scrive il Trotti – fussimo tutti a cavallo, e per uno terribilissimo e crudelissimo freddo, per puncto de astrologia se ne venissimo a Sancto Eustorgio, che è nel borgo de Milano, lontano un miglio da la città, dov'erano apparecchiati grandi fochi in alcune camere e refectorii de esso loco, cum bono renfrescamento de colatione che resuscitò la brigata da morte a vita.

In lo quale loco giunsero lo Ill.mo signor Duca cum la Duchessa sua moglie, lo Ill.mo signor Ludovico (che aveva preceduto la sposa a Milano, n.d.a.) e tutta la casa sforzesca accompagnati dagli ambasciatori e altri signori e baroni.»

La veneranda basilica di Sant'Eustorgio, fissata dagli astrologi come luogo propizio all'incontro tra milanesi e ferraresi, risaliva al IV secolo ed era stata fondata dal vescovo Eustorgio per custodire l'arca con i corpi dei Re magi, dono dell'imperatore Costanzo e trasportata da Costantinopoli a traino di buoi. Incessantemente ingrandita e abbellita nei secoli, la basilica in epoca sforzesca era diventata di moda presso le famiglie aristocratiche che vi edificavano cappelle gentilizie a uso funerario: celebre quella di Pigello Portinari, nella quale la grazia toscana dell'architetto Michelozzo si armonizzava con l'esuberanza decorativa lombarda degli affreschi del Foppa. La chiesa accoglieva anche la superba arca trecentesca, opera del pisano Giovanni di Balduccio, contenente la veneratissima reliquia della testa di san Pietro Martire.

Tristano Calco, cronista ufficiale dei festeggiamenti, rievoca il solenne corteo che accompagnò la sposa attraverso la città, composto, oltre che dalla nobiltà e dal clero, anche da tutti i giureconsulti e i medici in toghe scarlatte: l'accompagnamento musicale era affidato a quarantasei coppie di trombettieri.

Passando attraverso le contrade delle Arti, avevano trovato ad attenderli, in via degli Armorari, due ordini di guerrieri immobili, chiusi in armature scintillanti, montati su cavalli in assetto da battaglia, completamente coperti di squame di ferro: una scenografia spettacolare, interpretata da vuote armature in plastici atteggiamenti.

Arrivati al Castello, ecco ad accoglierli la duchessa Bona, venuta da Abbiategrasso, con le due figlie; intorno a loro una fittissima corona di gentildonne: Cecilia senz'altro era presente, stipata fra tante altre, a osservare senza essere osservata. Possiamo attribuirle un sorriso di comprensibile compiacimento alla vista del fisico sgraziato di Beatrice, che non avrebbe potuto suscitare nel Moro slanci duraturi.

Il primo incontro fra Alfonso d'Este e Anna Sforza, secondo il Trotti, fu caloroso: «Se mò dominus Alfonso e Madonna Anna se fecero festa cum basi e grandi careze, pènsilo vostra Excellentia! La quale madonna Anna ha uno spirito et ingenio mirabile, è molto prompta in respondere, e tutta saviola».

Anna però era angosciata al pensiero di trasferirsi a Ferrara e aveva chiesto di portare con sé quattro donne e tre o quattro uomini dei suoi «perché altramente la starìa come meza morta». Anche lo sposo adolescente aveva avanzato le sue rivendicazioni: «Che in lo istrumento che se celebrerà de lui et de madonna Anna sua consorte sia posto che non vada più a scuola».

Il matrimonio si svolge il 23 gennaio nella cappella ducale rilucente dei capolavori di oreficeria sacra del Tesoro sforzesco: quarantanove statue di santi d'argento massiccio a grandezza naturale, disposte attorno all'altare sul quale brillava una croce d'oro tempestata di grosse pietre preziose. Durante la cerimonia arriva a sorpresa il marchese di Mantova Francesco Gonzaga, in incognito: invece di rispettare il suo impegno col doge e recarsi a Venezia, ha deciso di accontentare il cognato Ludovico e partecipare alla grande giostra, ma è giunto mascherato per dissimulare la sua presenza coi veneziani.

Il Gonzaga è fra i burloni che accompagnano gli sposi in camera da letto per sottoporli alle rituali facezie della prima notte di nozze:

«Furono missi a dormire lo sposo e la sposa e noi gli andassimo tutti al letto scherzandoli. – racconta un cortigiano – Dal canto de domino Alfonso gli era il signor marchese de Mantova con molti altri che lo temptavano e lui haveva un pezzo de bastone in mano col quale se defendeva. Madonna Anna stava de bona voglia, pur a tutti e due pareva cosa strana ad vedersi tanta gente intorno al lecto, che tutti dicevano qualche parola piacevole, come se sole fare in simili casi».

Anna sembrava aver tollerato bene gli scherzi, forse perché era nel suo ambiente, con gli amici più intimi; Beatrice invece si sentiva del tutto estranea alla corte milanese, e rifiutava ogni approccio.

«È in superlativo vergognosa» commenta desolato il Trotti; meno male che la sorella «fa ogni cosa cum grande gratia» cosicché Ludovico «se sta in piacere et in tanta gloria, che Dio per mì vel dica.»

Per Cecilia la rivale più immediata, al momento, è Isabella d'Este, con la quale Ludovico passa tutto il suo tempo, affascinato da quelle qualità di spirito e intelligenza che faranno di lei la donna più celebre del suo tempo. La Gallerani e la marchesana di Mantova, entrambe diciassettenni, senz'altro vengono presentate: forse fino da allora viene mostrato a Isabella, tanto amante delle arti, il ritratto leonardesco di Cecilia con l'ermellino.

Il 24 gennaio si svolge la grande festa nel salone della Balla, tutto dipinto a nuovo con impresa titanica. Alle pareti erano state addossate tre grandiose tribune, ricoperte di drappi d'oro e d'argento: una per la famiglia ducale e gli ospiti più importanti, una per i musicisti, e sulla terza era in esposizione, segnale della ricchezza sforzesca, una collezione di sessantadue vasi d'argento massiccio finemente cesellati.

Allo squillar delle trombe entrano gli Sforza e gli Estensi: «Non potrei descrivere convenientemente la preziosità dell'abbigliamento nemmeno prendendo a prestito i termini usati per i Frigi» – commenta lo storico ufficiale Tristano Calco in pomposo latino – «Basterà dire che le maniche del duca Gian Galeazzo e quelle di Ludovico, cariche di gemme, potevano stimarsi al di sopra dei centomila scudi d'oro. Ma chi può descrivere lo splendore delle sorelle Bianca ed Anna, chi l'abito della moglie di Ludovico, Beatrice, e della sua figlia naturale Bianca Giovanna? Tutte procedevano alla moda spagnola, col petto falcato fra le mammelle, e col pallio passato dalla spalla destra al fianco sinistro; e i capelli, fatti scendere dietro la schiena e raccolti in trecce, carichi di gemme e perle».

L'abbigliamento delle dame è lo stesso raffigurato nel ritratto di Cecilia: camora scollata, la sbernia sulla spalla (il «pallio») e la pettinatura a «coazzone».

Ad aprire le danze sono le due duchesse cugine, Beatrice d'Este e Isabella d'Aragona: quest'ultima avrebbe partorito meno di una settimana dopo e non era quindi nelle condizioni più adatte a un'esibizione, ma evidentemente non voleva permettere a Beatrice di assumere da sola il ruolo di padrona di casa.

Tutti gli ospiti si mescolano poi nelle danze, intrecciando variopinte coreografie: «L'atteggiarsi e il muoversi improvvisato delle coppie non era meno attraente della foggia dei loro costumi: chi era vestito alla francese, chi alla spagnola, per altri veniva in mente la Pannonia, parecchi erano vestiti da Egizi e da Turchi. Le danze si prolungarono sino al calar della notte, quando furono accese torce di purissima cera bianca; una parte dei presenti si esibì in una danza moresca con grande abilità, e fu l'ultimo atto di quel giorno».

Descrivendo la festa da ballo del giorno successivo, il Calco enuncia il concetto di eleganza a cui si conformava la corte: «Il dì successivo nello stesso luogo si ritrovarono i principi, i signori e le dame, con abiti mutati ma di magnificenza pari a quella del giorno prima. Basti dire che si contarono oltre duecento persone con vesti d'oro e d'argento, per non parlare dei gioielli. Del resto, non si dovrebbe chiamare abbigliamento nel vero senso della parola quello che non possa essere cambiato quattro o cinque volte con pari lusso».

Il 27 gennaio, il vertice dei festeggiamenti, con lo splendido spettacolo della giostra. L'onore di essere il primo a entrare in lizza era stato reclamato dal marchese di Mantova, che si fece precedere da una schiera di diciannove cavalieri, tutti rivestiti con piastre di velluto verde sul petto. I primi dodici, ornati di catene d'oro, portavano lance dorate; gli altri sette, senza catene, montavano cavalli più agili, uniti fra loro con finimenti da petto a petto. Intorno procedevano a piedi quindici armigeri, avvolti fino a metà torace in un drappo di broccato d'argento. Il marchese di Mantova, che sulla corazza indossava una leggera sopravveste verde, fece il suo ingresso scortato, in segno d'onore, dal duca di Milano, da Alfonso d'Este e da Ludovico il Moro.

Alla stessa scorta d'onore ebbe diritto il secondo concorrente, Annibale Bentivoglio, signore di Bologna, che si era fatto precedere da tre giostratori rutilanti in vesti d'oro e d'argento: sui loro elmi soffiavano a gote gonfie i quattro venti. Il Bentivoglio portava un mantello verde e il suo elmo era istoriato con l'immagine di Memnone, re degli Etiopi – un moro, in omaggio a Ludovico – e di sua madre Aurora sorgente dalla cresta dei monti.

Fece poi il suo ingresso uno dei fratelli Sanseverino, Gaspare, detto Fracasso per la sua spavalderia. Volendo far risaltare la sua devozione a Ludovico, aveva fatto truccare i suoi dodici staffieri da mori, ed entrò in campo con un carro da trionfo a tre cavalli, due dei quali erano camuffati da unicorni, l'altro da cervo. Il suo veicolo appariva tutto circondato da una siepe di lance dorate infitte a cerchio, e nel mezzo si ergeva un monte sul quale un attore, acconciato da Moro, recitò versi in lode di Beatrice d'Este.

Il fratello Galeazzo, che lo seguiva, aveva ideato un ingresso a sensazione, chiedendo addirittura a Leonardo da Vinci di curare la scenografia e i costumi. Anche il Calco sembra stupefatto: «Il suo cavallo sembrava un drago, ricoperto di squame d'oro, dipinte ad occhi di pavone attorno ai quali spuntavano ciuffi di peli e irte setole. L'elmo di lui era tutto d'oro, coronato sulla cima da un paio di corna a torciglione. Dall'elmo fuoriusciva un gran serpente alato, che con la coda e le zampe ricopriva le terga del cavallo. D'oro pure lo scudo, su cui riluceva una figura barbuta. Lo seguiva un gruppo di compagni dalla lunga barba, i cui cavalli erano cosparsi di ciuffi di setole. Anche per il modo in cui erano vestiti, si potevano definire dei selvaggi, primitivi e barbari, tipo gli Sciti o i Tartari. Si misero a roteare dei lunghi e nodosi bastoni, mentre un gruppo di trombettieri e zampognari intonava una musica esotica e dissonante. Ed ecco farsi avanti un personaggio che si proclamò figlio del re delle Indie, venuto a conoscere l'Europa e attirato da quel luogo dove l'anno prima, secondo voci a lui giunte, era sceso sulla terra Giove in persona accompagnato da tutti i Numi».

Si tratta di un riferimento alla famosa festa del Paradiso: Leonardo si era concesso la civetteria di rievocare quella sua fortunata invenzione. Ma non è soltanto questa allusione a provare l'intervento del maestro: ne parla lui stesso nel suo diario, rammaricandosi di un furto del prediletto garzone Giacomo Caprotti: «Addì 26 gennaio, essendo io in casa di messer Galeazzo di Sanseverino a ordinare la festa della sua giostra, e spogliandosi alcuni staffieri per provarsi alcune vesti d'omini selvatici che a detta festa accadeano, Jacomo s'accostò alla scarsella d'uno di loro e tolse i denari che dentro vi trovò».

Di grande effetto, anche se meno originale, l'ingresso del concorrente successivo, il tedesco Spingerliet, equipaggiato segretamente a spese di Marchesino Stanga: «Fece entrare in campo quattordici astati e tre trombettieri in costume germanico su cavalli bianchi ornati di falere, i dischi ornamentali di foggia classica: erano a collo nudo, con le chiome bionde al vento, vestiti di seta gialla e nera. Il campione portava un elmo che aveva effigiato un acquaiolo in atto di disseminare pioggia e tempesta, dalla cui violenza pareva ripararsi un fanciullo effigiato sullo scudo».

Molto ammirata anche la raffinatezza della succinta veste d'oro di Niccolò da Correggio, nipote del duca d'Este – in quanto figlio di una sua sorella – rinomato poeta, definito da Baldassarre Castiglione «il più famoso e compito cavaliere di tutta Italia». Sfilarono in tutto settanta concorrenti, chi contraddistinto dalle insegne del proprio casato, chi in vena di bizzarrie, come un cavaliere che camuffò il proprio cavallo da pecora.

«Qua non se fa altro se non giostrare – raccontava il Trotti il secondo giorno – dal battere delle XVIII hore (mezzogiorno) fino alle XXII (alle quattro del pomeriggio, quando cominciava a calare la luce) su la piazza del castello dove è fatta una longhissima e largissima tribuna presso le case verso le stalle che sono da mano sinistra, e sono rotte le mura e facti usci per li quali si può andare in tre camere a scaldarsi. La tribuna è addobbata di drappi d'oro e d'argento, sulla quale, oltra i signori e le madonne, vengono duecento damigelle milanesi cun tanti drappi d'oro, collane e gioie che è cosa stupenda, e chi vole ballare il può fare perché continuamente stanno i pifferi a suonare.

Il posto dell'Ill.mo signor Ludovico, su questa tribuna, è tra le due vostre Ill.me figlie e me, per poter burlare e ridere. Il quale basa la moglie sua parecchie volte l'hora in publico.»

Non altrettanto premuroso con la moglie era invece il marchese di Mantova, stando alle voci raccolte, «con la quale sua moglie si dice che mai non è stato poi ch'el giunse qua».

Sfortunata l'esibizione di Niccolò da Correggio: «Sino a qua, tre sono stati buttati a terra, et in spetie il Magnifico messer Nicolò nostro da Correggio, il quale se fece un poco de male ad uno piede, perché sel guastette».

L'aspetto più strabiliante, però, era stata la grande parata iniziale: «Credo bene ch'io mai non vedessi la più digna cosa quanto è stata vederli comparire et fare la sua mostra di giostranti per diversi modi et vie. La maggior parte havevano mori per insegne su li elmi et su li scudi, et tutta la piazza, dov'era più de cinquantamila persone, gridava "Moro! Moro!" e mai non audii gridare "Duca! Duca!", sebbene Sua Ex.tia cum la moglie e cum la madre era su epsa tribuna».

Dopo tre giorni di scontri il vincitore del primo premio, una pezza di broccato scarlatto, fu il grande favorito Galeazzo Sanseverino, che aveva spezzato dodici lance in dodici assalti. Il marchese di Mantova, che si era guastato coi veneziani pur di intervenire alla giostra, aveva invece offerto una prestazione modesta, spezzando quattro lance soltanto. «El haverìa fatto meglio se el cavallo meglio l'havesse servito», lo scusava il Trotti, che però non risparmiava le critiche: «l'ambasciatore veneto ha scripto a Venetia a gran carico dell'Ill.mo marchese de Mantova. Il quale marchese, a dire il vero, ha dicto e facto qua molte leggerezze, e si è deportato assai male cum questa brigata, e di se stesso ha facto poca opinione».

Per dare un segnale della sua potenza, il Moro spalancò poi davanti agli ospiti la porta della camera del Tesoro. Il Trotti rimase sbalordito da quello sfoggio di ricchezza: «In la camera degli argenti era, su tappeti in terra, lunghi sedici braza e larghi tre, una gran quantità di centinaia di migliaia di ducati d'oro. In capo ai tappeti erano dieci medaglie da diecimila ducati d'oro l'una, e tra l'una e l'altra erano parecchie migliaia di ducati, che fece un degnissimo e alegro vedere. Furono exstimati da molti essere non manco quantità di seicentocinquantamila ducati, licet vulgarmente se dicesse octocentomila. Eravi poi tavole lunghe su le quali erano extese le gioie, catene e collari d'oro de questi Ill.mi Signori e Madonne.

Eravi sexantasei sancti de argento addosso li muri d'epsa camera, cum tre o quatro bellissime croci cariche di gioie. Eravi l'Annunciatione e Coronatione de la nostra Dona cum grande hornamento de angeli e sancti, che non è manco bella cosa de le soprascripte. Era infine in terra ad uno cantone de la camera tante monete d'argento in un monte che un capriolo non lo salterìa. Gli era etiandio candeleri grandi d'arzento de grandeza come la statura de uno homo o poco manco. Fu aperto il loco dove stano li argenti grossi che non fu manco bella cosa da vedere come le altre per la grandeza e belleza loro, e il tuto ad un tempo se poteva vedere, che fu uno spectaculo triomphante, degnissimo e richissimo. Extimato fu il tutto, omnibus computatis, uno millione e cinquecentomila ducati».

Terminati i festeggiamenti, quando gli ospiti si preparavano a ripartire, il 30 gennaio Isabella d'Aragona partorì un maschio. Avrebbe dovuto essere un evento trionfale per il ducato, ma Ludovico fece di tutto per minimizzarlo, come si capisce dall'asciutta lettera del Trotti: «Questa matina è venuto da me a casa uno staffiere dell'Ill.mo signor Ludovico a notificarmi come la Ill.ma madonna duchessa di Milano haveva partorito un figliolo maschio». Il giorno dopo aggiunge: «Lo Ill.mo signor Ludovico ha facto che lo archiepiscopo ha cristianato il figlio nasciuto al signor Duca, sino ch'el serà baptezato, e gli ha posto nome Joanne Ambrosio e Francesco; ma vuole che il suo primo e principale nome habia ad essere Francesco, per respecto de la bona memoria del signor duca Francesco suo padre. Il compatre a questo è stato il magnifico messer Galeazzo de Sancto Severino, solo».

La comitiva estense, cui si aggiungeva Anna Sforza, prese la via del ritorno il primo febbraio, facendo tappa a Pavia prima di ripartire per Ferrara. Beatrice tradiva il tormento del distacco evitando il più possibile il marito. Al momento della partenza per Pavia, dove l'avrebbe in seguito raggiunta, Ludovico aveva detto alla moglie: «Addio, mia sposina!», ricevendone in cambio un mugugno, riferito con inquietudine dal Trotti al duca padre: «Quasi non gli rispose né gli fece feste né careze allegre, e io l'ho excusata che la ristette per vergogna, come veramente credo, e assai lo satisfeci. Tuttavia l'ho dicto in Pavia a Madonna vostra, acciocché la admonisca e advertisca, perché il continuare per questa via il potrìa sdegnare; la quale Madonna ne ha grande dispiacere e dice che farà l'offitio a la gagliarda».

Fra le gagliarde esortazioni di Eleonora e la pazienza di Ludovico seriamente impegnato a conquistare la moglie, l'atmosfera sembra schiarirsi: «Chi vuol il signor Ludovico, sempre il trova cum la sua sposa, cum la marchesana, cum domino Alfonso et cum Anna, cum li quali mai non si sazia di burlare e di cianciare, non manco fosse suo coetaneo».

Una volta partite la madre e la sorella, Beatrice cominciò ad assumere un contegno immaturo e indisciplinato, come fosse ignara dell'etichetta di corte. Il Trotti deplorava la predilezione ostentata per la figlia naturale del Moro, Bianca Giovanna, bambina di nove anni, con la quale Beatrice, forse perché era l'unica della sua statura, se ne andava davanti a tutti a braccetto, lasciando indietro dame del calibro di sua zia Beatrice, sorella del duca d'Este, vedova di Tristano Sforza.

L'oratore ferrarese si addossava il ruolo del mentore, «facendola advertente ad honorare le madonne e donne che la vengono a visitare e cortezare, perché altramente non continueranno a venire lì, come anche non fanno con la duchessa de Mediolano».

L'isolamento di Isabella d'Aragona aveva soprattutto una motivazione politica, in quanto l'aristocrazia milanese, disertando le sue stanze, si dimostrava schierata dalla parte del Moro. Però il comportamento freddo e intristito della coppia ducale non faceva che aggravare la situazione. In occasione della sua maternità, Isabella ricevette le dovute visite di congratulazioni, ma né lei né il marito seppero sfruttarne l'opportunità politica. Davanti all'ambasciatore veneziano, ad esempio, secondo il Trotti i duchi «mai non dixero parola veruna» e toccò a Ludovico ringraziare a nome loro.

Di tipo diverso le difficoltà di inserimento da parte di Beatrice, che erano un segnale di disagio nei rapporti col marito. Ad ammetterlo era lo stesso Ludovico, che il 13 febbraio si confidò col Trotti: «Mi dixe che ancora non le haveva facto niente pur al usato perché non voleva star ferma». Per il momento però non insisteva perché Beatrice ancora non si era sviluppata: «Non ne haveva dispiacere alcuno perchè, non venendole il suo male, come non vene, il non ne faceva gran caso, perché sempre haveva inteso dire che non le si ingravidavano insino a che non le veniva, e che se pur se ingravidavano, i figli non erano sani».

Nel frattempo voleva avvezzare la moglie ai giochi amorosi: «Suo piacere era toccarla et tenerla in braccio tucta la nocte». Evidentemente senza grande successo, visto quello che il giorno dopo il Trotti apprendeva sbalordito: «Questa sera venendo da spasso cum lo Ill.mo signor Ludovico da certe feste, et accompagnatolo sino al castello, mi licentiette dicendome in la orechia che voleva andare in Rocca a fare quello facto a Cicilia, et a star cum epsa in piacere, poiché sua mogliere cussì voleva per non volere star ferma».

Imprevedibilmente, Cecilia viene rimessa in gioco proprio dalla moglie del suo amante: l'immaturità fisica e psicologica di Beatrice, acuita dall'amarezza del distacco dai suoi orizzonti familiari e infantili, le fa apparire preferibile lasciare al marito il consueto sfogo con Cecilia pur di liberarsi dai suoi fastidiosi abbracci.

Ufficialmente la Gallerani è solo una delle tante gentildonne che frequentano il Castello: la duchessa di Bari fingerà di ignorare ogni implicazione personale finché le farà comodo.

Il Trotti, ormai imprigionato nel ruolo di consulente matrimoniale, disapprova l'atteggiamento di Beatrice, suggerendole altri metodi: «Li homini vogliono essere ben veduti et acarezati, come è giusto et honesto, da le mogliere», ma la sposa adolescente non gradisce i consigli dell'anziano oratore e lo bistratta: «Sta con me un poco selvaggetta».

Se accetta volentieri di essere seconda nel letto di Ludovico, Beatrice vuole primeggiare nella graduatoria del potere.

L'occasione per verificare la sua supremazia si presentò proprio in quei giorni di metà febbraio, con i festeggiamenti in onore degli ambasciatori francesi, venuti a mettere le basi di un'alleanza che sarebbe stata fatale per la dinastia e per tutta l'Italia: «Le si fa non manco honore che se facia a la Ill.ma Duchessa de Mediolano – notava il Trotti – ma se ha più respecto».

Rinfrancata dalla consapevolezza del potere acquisito, Beatrice rapidamente perde ogni residuo di timidezza rivelandosi una sfrenata cacciatrice di divertimenti.

A seguire la corrispondenza intrattenuta tra una corte e l'altra, sembra che lo scopo delle giornate fosse di girovagare di castello in castello inseguendo sempre nuovi spassi. Scriveva ad esempio Galeazzo Visconti, un cortigiano molto assiduo presso Beatrice, a Isabella d'Este: «Questa matina la Duchessa de Bari cum tute le sue done e io in compagnia siamo andati a Cusago; a me bisognò montare in carretta insieme cum la Duchessa e il buffone Diodato, e qui cantassimo più de venticinque canzoni molto bene accordate a tre voci, cioè Diodato tenore, io quando basso e quando soprano, e la Duchessa soprano, facendo pazzie che oramai io credo de essere maggiore pazzo che Diodato».

Arrivati al castello di Cusago per colazione, s'erano tutti «riempiti che non se poteva di più, e subito disnato comentiassimo a giugare al balone cum una grande fatica, e giugado un bon pezo andassemo a vedere il palatio molto bello, e tra le altre cose ha una porta de marmore intagliata, bella como quele opere de la Certosa; andassimo poi lì accanto al palatio dove havevano aparecchiato una bella pesca de lamprede e gamberi, e ne pigliassimo a nostro senno; finita questa pesca andasemo in un'altra dove pigliassemo più de mille lucci grossissimi, e tolto quelo che ne bisognava per regalare e per la nostra sancta gola, facessemo butare in acqua il resto».

Dopo la pesca, la caccia: «Comenzassimo a fare volare de queli boni falconi che vedeste volare a Pavia, e ammazzassemo parecchi uccelli; e fato questo, che era hore XXII (le quattro del pomeriggio), andassemo a una caccia de cervi e caprioli, dove ne facessemo correre, e amazati due cervi e due caprioli se ne venissemo a Milano a una hora de nocte (le diciannove) e presentassemo tuta la caccia a lo Ill.mo duca de Bari, il quale ha preso tanto piacere e consolatione che più non se potria desiderare».

La crescente esuberanza di Beatrice solleva un poco il Trotti dalle sue apprensioni: «Le cose de la Ill.ma duchessa de Bari passano ogni dì meglio e non potrìa essere in più honore e favore come la se retrova con ognuno; e de la sua signora non potrìa il signor Ludovico più contentarse come el fa; il quale, se vole pigliare qualche recreatione, va a stare cum epsa: stanno tutto il dì e persino a mezza nocte passata in giochi e feste».

Fra i giochi, prediligevano le carte. I tarocchi erano molto di moda: fatti di cuoio o di cartone rivestito con tela ingessata con colla forte, potevano essere riccamente miniati e dorati. Beatrice era molto abile a «scartino»: nel 1495 il Moro chiese al suocero di mandargli da Ferrara dodici mazzi di scartini.

Non mancavano diletti più intellettuali: l'umanista Vincenzo Calmeta descrive Beatrice circondata «sopra tutto da musici e poeti da li quali, oltre le altre composizioni, mai non passava mese che da loro o egloga o commedia o tragedia o altro novo spettacolo o rappresentazione se tenesse. E leggevasi ordinariamente l'alta Comedia di Dante».

Ma era soprattutto con la generosità che il Moro si guadagnava l'affetto della moglie: «Lo Ill.mo signor Ludovico fa digno e somptuoso ornamento e grande apparato de suppelectile e de altre cose de casa per la Ill.ma sua moglie, in forma che ricamatori, pictori e anche orefici hanno faccende, in modo che per la Duchessa non se fece la metà» raccontava il Trotti, aggiungendo «ogni dì il signor Ludovico fa donativi de gioie e de drappi d'oro facti aposta, bellissimi in superlativo, a la sua consorte».

Le assegnò anche delle rendite fondiarie, fra cui quelle della sua fattoria modello, la Sforzesca. Appassionato com'era di agricoltura, in un vasta riserva di caccia tra Vigevano e Pavia il Moro aveva creato un complesso agricolo d'avanguardia. Dapprima aveva impiantato la coltura dei gelsi bianchi, i «moroni», e l'allevamento dei bachi da seta, detti «cavalieri», chiamando sul posto tecnici specializzati; poi, costruita una bella villa padronale, v'aggiunse case coloniche, fienili, stalle e tutt'intorno grandi estensioni di prati, vigne, campi, boschi.

Inneggiava il poeta Galeotto del Carretto all'opera del Moro:

> Vigevano che fu già gleba vile
> ha fatto adorno, e gli agri a quel contigui
> ha coltivati con saper sottile.
> E i steril campi, et al far fructo ambigui
> Fertili ha facto et abondanti prati,
> e d'acqua ticinese tutti irrigui.

Per facilitare le irrigazioni di quella vasta zona agricola il Moro aveva fatto deviare appositamente il Naviglio, e lo stesso Leonardo si occupò delle opere idrauliche. Il luogo in breve tempo aveva dato un cospicuo reddito, quindi il donativo a Beatrice era pingue. Ludovico esortava la moglie a non spenderlo tutto, «ma che de dicta entrata de seimila ducati gli pareva che la dovesse cominzare a masserenzare per loro e gli figlioli».

La passione per la campagna accomunava Ludovico e Beatrice, la quale scriveva alla sorella il 18 marzo: «Io mi trovo di presente qui a Villanova, dove per la bontà delle campagne e dolcezza de l'aere la quale se potria equiparare a quella del mese di maggio, tanto è temperata e splendida. Ogni giorno me monto a cavallo cum li cani e li falconi, e nessuna volta torniamo a casa, el Signor mio consorte e io, che non habiamo ricevuti infiniti piaceri alla caccia de aironi e de uccelli de riviera. Tanto è il numero delle lepore che saltano de omne canto che non sapemo qualche volta dove se habiamo a volgere per havere piacere, perché l'occhio non è capace di vedere tutto quel ch'el desiderio nostro appetisce e che la campagna ne offre».

Mentre Beatrice passava di piacere in piacere, Isabella d'Aragona era sempre più emarginata. Per scoraggiarla dalla permanenza a Milano, il Moro le aveva assegnato degli alloggi inospitali, tanto che se ne lamentava una sua damigella: «Per mia maledetta sciagura sono confinata a starmente quasi tutto il giorno a quelle melanconiche stantie de la Ill.ma Duchessa, che a me par essere a casa del gran diavolo».

Dopo essersi sposato, forte dell'alleanza estense, Ludovico aveva deciso di passare all'attacco, rendendo sempre più dura la vita dei nipoti. Si era anche attribuito il compito di allevare il loro figlio Francesco a Milano, attorniato da persone di sua scelta, per staccarlo al più presto dai genitori.

Riunitasi la corte a Vigevano il 21 marzo, Isabella e Gian Galeazzo chiesero allo zio il permesso di andare a trovare il piccolo Francesco a Milano promettendo, per indurlo ad acconsentire più facilmente, che sarebbero ritornati in giornata. Ma Ludovico non tollerava che il duca si trovasse a Milano senza di lui, per timore che il popolo gli tributasse omaggi eccessivi. Obiettò quindi «che se il puto stava bene, gli pareva un appetito da giovani non bene considerato, ma più tosto leggero, e che era da rinuntiare ad andare.» Raccontando l'episodio al duca d'Este, il Trotti riferiva anche, con compassione, la dignitosa sconsolata risposta di Isabella, la quale aveva replicato «che questo loro appetito era ragionevole e naturale, e che de simile appetito la non pensava potere da veruno essere redarguita, né il marito né lei, subiungendo cum qualche lacrima che suo officio e debito era de obedire».

Per indurre il Moro all'indulgenza, il Trotti lo prese in disparte e perorò in favore di Gian Galeazzo definendolo, con un bel po' di esagerazione, «honesto giovene, molto modesto, costumato e da bene». Ludovico lo bloccò immediatamente: «Sua Ex.tia me respose ch'io non lo conoscevo, oppure scherzavo. Poi me dixe a parte queste parole: che da qua indietro era stato buono per Sua Signoria, ma che pro futuro gli bisogna essere savio et bono per lui medesimo. Che furono poche parole, ma da notare». Ludovico ha gettato la maschera, e attraverso l'oratore manda un messaggio al suocero: è pronto a prendere il posto del nipote.

Visto che non riesce ad ammansire lo zio, Isabella cerca di avvicinarsi a Beatrice, seguendola nelle sue scorribande in città, come racconta Ludovico alla cognata Isabella d'Este, in una lettera sconcertante che rivela il carattere aggressivo di Beatrice e la divertita indulgenza del Moro nei suoi confronti:

«Io non potrìa explicare la millesima parte de le cose che fanno e de li piaceri che se pigliano la Ill.ma duchessa de Milano e la mia consorte, de fare correre cavalli a tutta briglia e correre dietro a le sue donne e farle cadere da cavallo; et essendo hora qui in Milano, se misero heri che pioveva ad andare loro due, cum quattro o sei donne, a piedi cum li pannicelli asciugacapi in testa, per andare a comprare de le cose che sono per la città; e non essendo qui la consuetudine de andare cum li panicelli, pare che da alcune donne gli fosse detto villania, e la mia consorte se azzuffò e cominciò a dirli villania a loro, per modo che se credeteno de venire a le mani. Ritornarono poi a casa tute sguazate e strache, che facevano un bel vedere. Credo che quando la Signoria Vostra sarà qua, gli anderanno cum migliore animo perché haverano lei appresso, che è animosa, e se li sarà alcuna che ardisca de dirli villania la Signoria Vostra le defenderà tutte e gli darà una coltellata».

Oltre a condividere gli spassi smodati della cugina, Isabella s'immischiava nei suoi problemi coniugali. Si potrebbe anche pensare a un suo piano maligno per provocare un litigio fra gli sposi: istigava infatti Beatrice a disfarsi della Gallerani, rimproverando alla cugina la sua acquiescenza, e portava avanti la crociata con uno zelo non richiesto.

L'atteggiamento di Isabella nei confronti di Cecilia era quindi drasticamente cambiato: ora non solo non la portava «in palma di mano», ma si mostrava più scandalizzata di Beatrice della sua permanenza al Castello. Probabilmente la predilezione manifestata due anni prima era soltanto strumentale, allo scopo d'ingraziarsi lo zio; oppure Cecilia stessa, influenzata dal Moro sempre più inasprito contro la nipote, si era progressivamente sganciata da quell'imbarazzante protezione.

È il Trotti, come sempre, a individuare le tensioni sprigionate da quella triangolazione di rapporti tra donne: «La duchessa de Milano dixe che a lei molto più doleva de la Cecilia, che non a la duchessa de Bari, la quale saveva e intendeva il tutto, e le haveva dicto che fingeva non savere cosa alcuna, come se niente fosse, ma che non era sì ignorante e grossa che non savesse e intendesse ogni cosa».

La tattica temporeggiatrice di Beatrice era vincente: il corpo di Cecilia andava deformandosi col procedere della gravidanza e la passione del Moro si svigoriva. «Il signor Ludovico me ha dicto più volte che più non la vole tochare né menarsela dietro, essendo grossa come l'è, e mai più da poi che havrà figliato, si sic erit».

Intanto Beatrice, gratificata e corteggiata costantemente dal marito, si avvezzava a vivere appieno il suo ruolo di moglie: «Hiersira il signor Ludovico cenette cum la Ill.ma sua consorte, dove furono facte molte piacevolezze, e mai non se fece che ridere e scherzare e tucta la nocte l'ha tenuta in braccio, cum più suo contento».

Le ripulse iniziali di Beatrice sembrano aver avuto l'effetto di eccitare il desiderio del Moro, il quale ogni giorno di più dimostra «il singolare amore che le porta e quanto ogni dì più gli gusta, piace et va per mente».

Tanto più gli «va per mente» Beatrice, tanto meno pensa a Cecilia. Ludovico giura al Trotti che «dal secondo giorno de carnovale in qua non haveva tocata Cecilia, et manco ne aveva voglia». Ma è proprio il giuramento non richiesto a rivelare che il distacco non è così indolore come afferma. Comunque ha deciso: dopo il parto Cecilia sarà allontanata dal Castello. Bisogna trovarle una degna dimora, non troppo distante, perché i rapporti tra loro, grazie anche al legame del figlio, non saranno troncati.

La nuova sistemazione era già stata individuata ai primi di aprile, subito dopo Pasqua: a Cecilia sarebbe stato assegnato un palazzo prestigioso, fatto costruire dal duca Filippo Maria Visconti per il Carmagnola e poi requisito quando il condottiero era passato ai veneziani. L'ombra del tradimento sembrava aleggiare su quella casa, il cui ultimo proprietario era stato un altro condottiero, Pietro Dal Verme, che qualche anno prima, accusato di aver partecipato a una congiura contro il Moro, era morto in circostanze sospette. Correva voce che Ludovico avesse indotto la moglie del Dal Verme, che era sua nipote Chiara, figlia naturale di Galeazzo Maria, ad avvelenarlo. Oltre al palazzo gli aveva confiscato anche il feudo di Voghera, assegnandolo poi in dote alla propria figlia naturale Bianca Giovanna, data in sposa a Galeazzo Sanseverino, che l'aveva aiutato a debellare la congiura.

«Il signor Ludovico me menette con lui a la casa che fu del conte Petro Dal Verme – raccontava il Trotti – dove fece venire alcuni ingenieri per racconciarla e redurla per la Cecilia sua femina, perché ci vada a stare, facto che habia il figliolo; la quale fa venire a Milano cum intentione de non se la menare più dietro e andarla deponendo secondo che mi dixe essere suo totale pensero. Si sic erit.»

L'auspicio finale rivela i suoi dubbi sulla fermezza dei propositi del Moro: da febbraio rinnovava le promesse di lasciare Cecilia a Milano, ma quel legame simbiotico non era ancora reciso. Perfino pochi giorni prima del parto la Gallerani era ancora a Pavia con la corte, se soltanto il 24 aprile il Trotti annunciava il suo definitivo rientro a Milano: «Il signor Ludovico si è comunicato e ha mandato quattro ovvero sei giorni orsono la Cecilia sua femmina a Milano, cum intentione de più oltre non la tocare, la quale è molto grossa».

Mentre Cecilia è a Milano in attesa del parto, la corte si sposta a Vigevano, dove il primo maggio viene celebrata una festa tradizionale dalle antichissime origini, il Calendimaggio, festa della primavera, del rinnovarsi della vita: vestiti di verde, gruppi di giovani cavalcavano per i prati, e i cavalieri andavano a «torre il majo», cioè coglievano per le loro dame dei rami fioriti. Il Trotti era della compagnia e descrive la festa:

«Hogi, che è il primo de magio, questi Ill.mi Signori con le Duchesse sue consorti, con tuta la corte de homini e done, molto per tempo sono andati in campagna lontani presso che tre miglia con li loro falconi a fare volare, e da poi andassemo per maji con gran triumpho e con grandissima comitiva. Le duchesse havevano acconzata la testa a la francese, con il corno in capo con veli longhi de seta, li loro corni erano guarniti de bellissime perle intramezate con molte gioie de diamantini, de rubini, e de smeraldi, ma le perle de la duchessa de Bari erano molto più grosse e belle de quelle de la duchessa de Milano. Erano tutte vestite de tabì verde, sì de vesti come de camore e maniche. Erano a cavallo de chinee tutte bianche, bellissime, tutte guarnite de raso verde sì de finimenti che de coperte. La mazore parte de le loro donzelle erano aconzate con li corni a la francese e con i veli de seta longhi fino a terra, ma senza gioie. Tutte quasi erano vestite de verde, tra de damasco, de raso e de zendali verdi. Numero circa quaranta. E pigliati li mazi con gran triumpho e festa se ne tornassemo a casa a desinare».

Il 3 maggio, al Castello di Milano, Cecilia partorì un maschio. Il Moro, a Vigevano con la corte, appena ne fu informato si preoccupò di partecipare l'evento a Beatrice col maggior tatto possibile: «Cum grande humanitate e dolzeza – sottolinea il Trotti – sua Signoria dixit a la Ill.ma Duchessa vostra figlia de la nativitate del puto, dicendole che le era nassuto un ragazzo e un servitore, il quale, come fusse un pocheto grandetto, glielo voleva dare acciò che la se servisse d'epso, come fanno li signori e signore de li servitori, giurandole che non aveva toccato la madre dal secondo giorno di carnevale in qua, e che haveva deliberato mai più non la tocare. La quale Madama Duchessa molto allegramente e cum parole convenienti e satisfactorie gli respose in modo che non se poterìa meglio, de la quale il prefato signor Ludovico ristette molto satisfacto et contento, mettendola sopra li nove cieli».

Forse per la crescente disponibilità e buon umore della moglie, che gli faceva «mille burle piacevoli ogni dì», il Moro non si affrettò a vedere il figlio, recandosi a Milano solo il 9 maggio. Prima di entrare in città fece una sosta a Sant'Eustorgio, davanti alla venerata reliquia di san Pietro Martire, «et il ringratiette del figlio masculo che gli è nasciuto; poi cum grande alegreza et consolatione andette in Rocca a vederlo».

La scelta di un nome romano, Cesare, venne forse dalla cultura classica della giovane madre, o forse dallo stile ambizioso del padre. Anche se la nascita non era legittima, i poeti di corte, cogliendo la gioia di Ludovico, produssero a gara versi magniloquenti. Il Bellincioni scrisse addirittura due sonetti: nel primo, *Non fur sì liete quelle antiche genti*, affermava che i tempi presenti, consacrati dalla nascita dell'illustre bambino, erano migliori rispetto ai tempi del più famoso Cesare; il secondo giocava attorno all'assonanza tra Sicilia e Cecilia, parlando di quest'ultima come di un'isola di proprietà del Moro.

Due settimane dopo la nascita del figlio, Cecilia riceveva un concreto segno della gratitudine di Ludovico: il feudo di Saronno. La donazione è datata 18 maggio

1491, e nel latino protocollare afferma che «essendo degno e peculiare di un principe mostrarsi munifico dimostrando gratitudine per i servigi ricevuti», ritiene di concedere il territorio di Saronno «alla magnifica Cecilia figlia del defunto Fazio Gallerani». Il documento adduce le seguenti motivazioni: «Ricordiamo la lealtà e l'affetto da lei dimostrato verso la nostra Ill.ma Signora e i meriti della nobile famiglia milanese dei Gallerani, dalla quale ella non ha degenerato, infatti è fornita di tali virtù e ricca di meriti che abbiamo ritenuto giusto offrirle un dono grazie al quale essa senta di aver ben meritato da noi per i servizi dei suoi avi e per i suoi meriti, affinché essa e i suoi discendenti accrescano, se possibile, il loro affetto per noi».

Il testo è eccezionalmente discreto sulle vere motivazioni della donazione, mostrando grande rispetto per Cecilia. Precauzione insolita, perché precedentemente il Moro non aveva fatto misteri sulle ragioni che lo portavano a ricompensare le sue amanti, basta ricordare la lettera del 1484 all'arcivescovo di Milano, dove senza inibizioni aveva dichiarato di voler agevolare una giovane con la quale «prendeva piacere». Quando poi, nel 1497, farà una donazione alla nuova favorita Lucrezia Crivelli, la motivazione ufficiale sarà altrettanto disinibita: «Ex jucunda illius consuetudine ingentem saepe voluptatem senserimus» (perché spesso abbiamo preso grande piacere dal dilettevole rapporto con lei), benché la Crivelli fosse sposata.

Bisogna però osservare che quelle disinvolte ammissioni appartengono a periodi in cui Ludovico era scapolo o vedovo, mentre ai tempi della relazione con la Gallerani era sposato; quindi il diverso stile adottato, se da una parte dimostra stima affettuosa nei confronti di Cecilia, dall'altra è segno di rispetto per Beatrice, alla quale si fa riferimento nel testo della donazione, ricordando «la lealtà e l'affetto» mostrati dalla favorita nei riguardi della duchessa: un atteggiamento di sottomissione che aveva permesso alla Gallerani di prolungare il suo soggiorno a corte.

In tale contesto di riservatezza, anche il figlio viene nominato copertamente, compreso in quella «discendenza» di Cecilia che avrebbe dovuto mantenere e accrescere l'affetto per l'augusto protettore.

In parte per l'acquiescenza di Beatrice, in parte perché i restauri del suo palazzo andavano per le lunghe, Cecilia rimase al Castello anche dopo la nascita del figlio, e sempre in auge se il poeta Bellincioni, che pure era molto devoto a Beatrice, dimostrava apertamente la sua simpatia per la Gallerani.

Proprio una lettera del Bellincioni al Moro, del febbraio '92, attesta che Cecilia è ancora al Castello: «Io desinai iermatina con madonna Cecilia e vi fui ier sera, e sono el favorito; che per Dio facemmo ridere fino al signor Cesare, il quale è grasso, dico grasso; e perché io indovinai che sarebbe stato maschio, so che avrò gratia con Sua Signoria».

Questo spensierato quadretto familiare, col florido Cesare di nove mesi e Cecilia che ride alle battute del poeta di corte, fa pensare che non avesse alcuna fretta di insediarsi nella nuova dimora, contando forse sull'atteggiamento condiscendente di Beatrice, la quale invece stava affilando le armi.

Consolidati ormai i rapporti coniugali (due mesi dopo sarebbe rimasta incinta), Beatrice era decisa a eliminare la rivale, della quale temeva la competizione non tanto nel letto di Ludovico, quanto sulla passerella della corte.

Surclassata nelle esibizioni fastose la cugina Isabella, soltanto la bellezza di Cecilia poteva mortificare la supremazia di Beatrice: non a caso nella battaglia ingaggiata contro la sua antagonista, la scelta delle armi cade sui vestiti.

L'abbigliamento era la risorsa più importante di Beatrice: aveva bisogno della sapienza dei sarti per conferire decoro alla sua bassa e tozza figura. L'umanista Muralto la definì «novarum vestium inventrix»: questa sua creatività è confermata da una lettera di Ludovico, che affermava di aver provato «incredibile delectatione» ammirando una turchesca ideata da Beatrice per sé e per le sue damigelle, le quali nelle loro livree dovevano adottare fogge e colori della duchessa, seppure più modeste nelle stoffe e negli ornamenti. Decisa a indossare la sua creazione il giorno successivo, Beatrice aveva ordinato che le turchesche fossero realizzate in una notte, e non affrettatamente ma alla perfezione, dichiarando che «quando se aveva a fare una cosa, o da scherzo o da dovero, se voleva attendere a farla cum studio et diligentia acciò che la fosse ben facta».

La preferenza per la turchesca, un'ampia sopravveste che mascherava le forme, rivela la preoccupazione di evitare i confronti con le figure delle damigelle: sotto quei paludamenti, tutti i corpi apparivano uguali.

Il numero degli abiti di Beatrice era spropositato: uno degli ambasciatori ferraresi, Bernardino Prosperi, ne contò ottantaquattro nel suo guardaroba di Vigevano, tutti confezionati dopo le nozze, e altri ancora ne aveva a Milano.

Sarà proprio lo scontro su un vestito, il *casus belli* che travolgerà Cecilia: Ludovico aveva fatto confezionare per la moglie e l'amante due abiti uguali, almeno così afferma il Trotti, e Beatrice inviperita pretese che Cecilia non lo indossasse.

Poiché il Trotti non specifica come fossero i vestiti incriminati, possiamo avanzare un'ipotesi confrontando il guardaroba di Beatrice con quello di Cecilia: entrambe possedevano infatti una camora con la cosiddetta impresa del «fanale». Quella di Beatrice, acquistata per lei dal Moro in un negozio milanese, era in «brocato rizo soprarizo d'oro cum qualche argento lavorato a una sua divisa del fanale, cioè del porto de Genua, che sono due torri cum un breve che dice: "tal trabajo m'es placer por tal thesauro no perder"». La camora di Beatrice era preziosissima, infatti il broccato riccio e sopraricco era il più costoso: il Moro l'aveva pagato quaranta ducati al braccio, mentre il prezzo del normale broccato aureo si aggirava attorno ai dieci ducati.

Nel corredo di Cecilia figura «una camora de tabì negro cum una balza de velluto morello in cerchio, facta alla divisa del fanale». Nel caso che fossero proprio quelli i vestiti coinvolti nella disputa, si nota che li accomunava soltanto il ricamo, mentre la stoffa era diversa. In questo caso il Moro non sarebbe incorso nell'indelicatezza di aver regalato due vestiti identici; piuttosto era Beatrice a cercare un pretesto per togliersi di torno la bellissima rivale, che col suo fisico alto e snello valorizzava ogni abito.

Cecilia, dal canto suo, non sembrava rendersi conto della precarietà della sua situazione; sicura di sé e del fascino che ancora credeva di esercitare sul Moro, aveva assunto un contegno superbo e, per competere con Beatrice in eleganza, non controllava le spese. «La se contene di più et fa più pompa che ciascuna di queste duchesse, in gran carico del signor Ludovico» scriveva il Trotti il 23 febbraio, e alludeva anche ad «altre leggerezze che sono molto dispiaciute a sua Signoria quando le ha intese», tanto che il Moro aveva ordinato a Marchesino Stanga «che procuri di trovarle marito».

Ignoriamo la natura di quelle «leggerezze», ma forse in altri tempi il Moro sarebbe stato più indulgente: ormai il legame con Cecilia si era logorato e gli premeva allontanarla al più presto.

Un partito idoneo fu trovato in tempi brevi in un fedele sostenitore del Moro, il conte Ludovico Carminati de' Brambilla detto il Bergamino, feudatario di san Giovanni in Croce, nel Cremonese.

L'usanza di accasare le proprie favorite era piuttosto frequente e non considerato disdicevole in un'epoca in cui la lealtà e l'ubbidienza verso il proprio signore feudale erano valori superiori a ogni considerazione sulla virtù della sposa; virtù che dopo il matrimonio sarebbe stata, almeno ufficialmente, rispettata. E poi la Gallerani era ben dotata, oltre che nell'aspetto, anche dalla generosità del Moro: il Bergamino quindi non dovette farsi troppo pregare per aderire alla proposta.

Passarono pochi mesi fra la decisione di Ludovico, l'identificazione del candidato e l'accettazione di entrambe le parti in causa: le nozze si svolsero il 27 luglio 1492.

# CAPITOLO VII

# LA CONTESSA BERGAMINI

UN FEUDO, UN PALAZZO, UN NOBILE MA-
rito: la «Magnifica domina Cecilia» ha ottenuto
molto dal Moro, e può iniziare una nuova vita.

Quando si trasferisce, i lavori di riattamento della casa
sono ancora in corso. Nel 1493 risulta un ordine di pagamento del Moro a un ingegnere della Fabbrica del Duomo, Giovanni da Busto, «pro ponendo in opere in domo
domine Cicilie Pergamine».

La ristrutturazione del palazzo Dal Verme non era
un'iniziativa isolata, anzi si inseriva in un vasto piano di
rinnovamento urbanistico intrapreso dal Moro «ut civitas
haec nostra tota moeniorum erectione illustretur et ad
esplendorem reducatur»; con questa formula aveva comunicato al vicario di Provvisione il suo progetto ambiziosis-
simo, mirato a rendere l'intera città un modello d'inegua-
gliata magnificenza.

A questo scopo Ludovico promosse una serie di incentivi per i privati: chi aveva progetti d'investimento e mi-
glioria era incoraggiato da speciali normative, mentre erano puniti con aggravi fiscali i proprietari di case e di fon-
di lasciati in abbandono.

Nello stesso periodo in cui aveva assegnato il palazzo
Dal Verme alla Gallerani, il Moro aveva elargito altre do-

nazioni; ad esempio alla figlia Bianca Giovanna, in occasione del suo matrimonio con Galeazzo Sanseverino, aveva donato il palazzo che era stato dell'ex segretario ducale Luigi da Terzago, giustiziato sotto l'accusa di aver congiurato contro il Moro; Leonardo stesso qualche anno più tardi, nel 1499, avrebbe ricevuto un terreno con una vigna di sedici pertiche (circa un ettaro) su cui costruirsi una casa.

Proprio a Leonardo, suo amico fin dal tempo dell'arrivo a corte, è probabile che Cecilia si sia rivolta per il progetto della casa. Esiste uno schizzo leonardesco di edificio con torrione cinto da logge e sormontato da una cupola a lanterna, che potrebbe appunto essere riferito al palazzo Dal Verme; lo ipotizza Carlo Pedretti, contestando quanti attribuiscono il disegno al Castello, perché una simile invenzione architettonica sarebbe stata incongruente con le funzioni militari della fortezza. Che poi il progetto effettivamente realizzato a palazzo Dal Verme fosse diverso, non stupisce: i tempi lunghi di Leonardo erano incompatibili con l'urgenza di rendere abitabile la casa al più presto.

Il grande edificio, che i contemporanei giudicarono tra i più belli della città, era raccolto attorno a due cortili; il minore è ancora in parte conservato, volto verso via Rovello: a pianta quadrata, girato da un portico di sei arcate su ciascun lato. Le svelte colonne e i bellissimi capitelli marmorei hanno indotto a pensare a un intervento, o almeno all'influenza, di Bramante. Il cortile maggiore aveva tre lati di portici a otto arcate ciascuno, in un angolo un pozzo dalla vera a pianta quadrata, e una scala esterna che saliva al piano superiore. Questa scomodità era del tutto usuale: anche al Castello sforzesco per salire ai piani superiori bisognava uscire all'aperto, le uniche scale interne erano ripide e anguste, scavate nei muri, a uso della servitù.

Se non furono adottati i suggerimenti di Leonardo dal

punto di vista architettonico, forse Cecilia avrà utilizzato i suoi consigli nella distribuzione delle stanze. Il maestro aveva idee molto precise in proposito, come si vede negli appunti allegati al progetto per la casa di Mariolo Guiscardo, un cortigiano molto vicino al Moro, dal quale era stato gratificato di un terreno edificabile nel nuovo quartiere residenziale di Porta Vercellina, che stava sorgendo attorno all'abbazia di Santa Maria delle Grazie. Il Guiscardo aveva affidato il progetto a Leonardo, che gli fornì studi planimetrici su cui compaiono varie soluzioni abitative, corredati da un esame sulla distribuzione delle stanze, che avrebbe compreso «dispensa, cucina, offitio di scodelle, sala della famiglia (servitù, n.d.a.), camera dei famigli, tre camere per forestieri», stalla per sedici cavalli, alloggio del palafreniere, deposito della legna, appartamento della moglie, appartamento con «sala maestra» del padrone. La sala della servitù avrebbe dovuto essere «al di là della cucina, acciò il padrone non senta loro rumore, e che la cucina sia loro comoda per il peltro che si ha a lavare, ché non passi per la casa»; inoltre «dispensa, legne, pollaio e sala e camere debbono essere contingenti per la comodità che ne resulta, e l'orto e la stalla contingenti la sala del padrone e della famiglia»; la cucina andava collocata in mezzo tra la camera da pranzo padronale e quella della servitù, «e nell'una e nell'altra si pongano le vivande per via de finestre larghe e basse».

Le donne facevano vita a parte: «Faremo alla mogliera la sua camera e sala, senza la sala della famiglia perché le sue donzelle si fanno mangiare a un'altra tavola in una medesima sala; bisognano due camere oltre alla sua, una per le donzelle, l'altra per le balie, e camerini per loro servizi». Infine: «Voglio che un solo uscio serri tutta la casa.»

Interessato a ogni particolare della vita cittadina, Leonardo percorreva le vie di Milano ridisegnandole con l'immaginazione, e accumulò un'incredibile quantità di progetti, riguardanti quasi tutti i maggiori monumenti, da San Lorenzo a San Satiro, da San Nazaro a San Sepolcro, a Santa Maria delle Grazie. Alla fine degli anni Ottanta aveva partecipato anche al concorso per la copertura del nucleo centrale del Duomo, presentando però un progetto troppo avanzato rispetto all'ortodosso goticismo lombardo, con una cupola a doppia calotta emisferica extradossata; non stupisce che abbia vinto l'Amadeo con un tradizionale tiburio ottagonale.

Lasciandosi coinvolgere dal clima di rinnovamento urbanistico pianificato dal Moro, Leonardo si metteva a progettare la Milano del futuro, razionale e spaziosa. Cominciò con l'ideare la grandiosa piazza davanti al Castello che avrebbe ospitato il suo capolavoro scultoreo, il gigantesco monumento equestre in bronzo a Francesco Sforza. A questo colosso, che col piedestallo avrebbe dovuto arrivare a quasi venti metri di altezza, Leonardo lavorò molto, riuscendo però a realizzare soltanto il modello in terracotta, perché fu bloccato dagli irrisolvibili problemi posti dalla fonditura. La sterminata piazza disegnata da Leonardo era rettangolare, di cinquecento metri per trecentotrenta, molto superiore a quella davanti a San Pietro. Nel disegno leonardesco il monumento è posizionato al termine del piazzale, e di fronte avrebbe dovuto aprirsi uno stradone largo circa cinquanta metri, inizio di un percorso rettilineo che dal Castello avrebbe portato all'Ospedale Maggiore, passando di fianco al Duomo. Su questo stradone, costeggiato dalle facciate di eleganti dimore patrizie, si sarebbe trovato allineato anche il palazzo di Cecilia.

L'idea di assemblare le abitazioni dei ricchi attorno all'epicentro del Castello ubbidiva a precisi intenti strategici: Leonardo intendeva in questo modo legare maggiormente la classe dirigente al cuore del potere, e nello stesso tempo renderla più facilmente controllabile.

In quest'ottica si inserisce anche la costruzione di nuclei residenziali popolari periferici: Leonardo infatti, mentre intendeva raggruppare i «magnati» in un centro storico comprendente cinquemila case con trentaseimila abitazioni, riteneva opportuno allontanare dalla vista i degradati abituri dei poveri, cui non lesinava il suo disprezzo, disseminandoli in periferia, per «disaggregare tanta congregazione di popolo che, a similitudine di capre, l'uno addosso l'altro stanno, empiendo ogni parte di fetore e si fanno semenza di pestilente morte».

Nell'analisi sistematica di ristrutturazione urbana immaginata da Leonardo, per la prima volta la città è concepita non solo come nucleo statico monumentale, ma prevalentemente come organismo dinamico in cui la rete viaria svolge la funzione dell'apparato circolatorio nel corpo umano. Restano tracce di questa ideazione in schizzi in cui appare una schematica pianta di Milano con l'indicazione del duplice circuito, stradale e idraulico: la città si articola su diversi piani, con le strade superiori destinate al passeggio dei «gentilhomini», quelle inferiori al traffico commerciale dei «carri o altre some a l'uso e comodità del popolo».

Chi riceveva in dono un palazzo dal Moro doveva essere disposto ad accogliere gli ospiti da lui inviati. In un'ala del palazzo Dal Verme era alloggiato fin dal 1491, per disposizione del Moro, l'umanista Giorgio Merula, che risulta vi continuasse ad abitare fino all'arrivo dei francesi. Un inquilino sicuramente molto gradito a Cecilia che, venuto meno il suo ruolo di concubina ducale, scelse di riqualificarsi come poetessa ed erudita. Anche altri illustri personaggi vennero alloggiati a palazzo Dal Verme: Marin Sanudo il Giovane, nel suo *Diario*, annota infatti che il Moro chiedeva al figlio Cesare, evidentemente intestatario uffciale del palazzo, di ospitare persone di riguardo di passaggio a Milano.

Installata nella nuova dimora, Cecilia era in grado di mantenere un alto tenore di vita. Il Trotti le aveva anche fatto i conti in tasca, calcolando quanto era riuscita a ottenere dal Moro, senza calcolare il feudo di Saronno, cui l'oratore ferrarese non fa cenno: «Tra la casa, i mobili, gioie et denari, havrà la valuta de più de venticinquemila ducati d'oro».

Non sappiamo se in questo elenco fosse considerato anche il ricchissimo corredo, cui abbiamo già accennato, ma che vale la pena di guardare più da vicino.

Compare in un codice incompleto, di cui rimane soltanto un foglio, contenente l'elenco delle sbernie e delle camore. La sovrabbondanza di questi indumenti fa pensare a una sorta di competizione ingaggiata con Beatrice d'Este: una sfida inammissibile e deleteria, che come sappiamo portò Cecilia a contrariare il Moro per le spese esagerate.

Passare in rassegna questo corredo è far rivivere la moda rinascimentale nelle sue stoffe preziose, negli accostamenti squillanti dei colori, nelle fogge sovraccariche di fronzoli.

Sono descritte ventotto camore, tutte confezionate in tessuti di seta: raso, velluto, damasco, tabì, terzanello, zetonino e il preziosissimo broccato. La maggior parte sono a tinta unita, vivacizzate da balze, frappe e ricami in colori contrastanti; altre sono «listate», cioè a strisce di diversi tessuti e colori.

I colori preferiti da Cecilia erano il rosso cremisi e il morello, una tinta scura tra il marrone e l'amaranto. Possedeva infatti ben sei camore per ciascuno di questi colori, in diverse varianti di tessuti e applicazioni: una camora di raso cremisi, ad esempio, era foderata di seta nera e ornata da una balza d'oro filato, sia in fondo alla gonna che lungo tutte le cuciture; una di velluto cremisi aveva in fondo una balza di tabì oro e verde; un'altra era di broccato d'argento su fondo cremisi. Una camora di tabì morello aveva una frappa, cioè una balza sfrangiata, di broccato oro e bianco profilata da cordoncini di seta nera, un'altra di terzanello morello aveva maniche di broccato oro e nero. Figurano poi tre camore nere, fra cui una di tabì con balza di velluto morello e il ricamo con la divisa del fanale, la divisa ideata da Ludovico e donata anche a Beatrice. Altre due camore erano verdi, fra cui una di raso «tutta lavorata a groppi d'oro e de seta rossa e negra». Cecilia si era fatta confezionare camore di ogni colore di moda: una era di tabì rosa «incarnato» con frappa di velluto nero, una di tabì grigio «beretino» con balza di velluto cremisi, una di zetonino giallo «leonato» con frappa di velluto morello, una bianca di damasco con frappa di velluto nero e maniche ricamate d'oro e d'argento foderate di raso nero; e ancora una di raso turchino, una di tabì cangiante giallo e turchino con frappa di velluto morello. Possedeva anche quattro camore «listate»: una a strisce di raso cremisi e raso bianco «con groppi d'oro e d'argento filato alle cuciture», una di tabì a diversi colori, un'altra di tabì a strisce gialle e nere, e infine una a strisce di velluto nero e broccato oro e verde.

Anche le sbernie sono numerose, ben sedici, prevalentemente di colori scuri. Cinque sono nere, foderate di morello, nero, verde e broccato oro e «beretino»; delle tre sbernie cremisi, due sono foderate di nero e una di zendale cangiante con intorno fiocchi neri; molto vivaci una sbernia di tabì bianco foderata di zendale cremisi con balza di velluto cremisi ricamata in oro a cifre e rose, e un'altra di tabì oro e verde foderata di zendale cremisi, sempre con una balza di velluto cremisi.

Non è facile afferrare la personalità di Cecilia, tra le poche tracce che affiorano nella documentazione dell'epoca: sfogliare l'album dei suoi abiti contribuisce a renderla più definita, perché ci parla di una ricerca di eleganza, di bellezza e anche di affermazione di sé, che doveva caratterizzarla. Del resto la concorrenza era agguerrita, in una città votata al lusso come la capitale lombarda.

Un quadro della dovizia milanese, femminile in particolare, è tracciato dal novelliere Matteo Bandello, giunto a Milano tredicenne nel 1497 a ricevere la sua prima istruzione grazie alla protezione dello zio Vincenzo, priore del convento domenicano di Santa Maria delle Grazie.

Dopo aver preso i voti in quel convento, nel 1500, il Bandello iniziò a peregrinare con lo zio in tutta Italia e solo nel 1507 tornò a Milano, dove soggiornò stabilmente fino al 1526. La sua descrizione dell'alta società milanese appartiene quindi al periodo successivo alla caduta del Moro, ma il tenore di vita era rimasto lo stesso:

«Milano è una di quelle città che in Italia ha pochissime pari in qual si voglia cosa che a rendere nobile, popolosa e grassa una città si ricerchi, perciò che dove la natura è mancata, l'industria degli uomini ha supplito, che non lascia cosa alcuna si desideri, anzi di più v'ha aggiunto, la insaziabil natura dei mortali, tutte le delicature e morbidezze orientali con le meravigliose e prezzate cose che la nostra età ha con inestimabile fatica e pericoli gravissimi investigato.

Per questo i nostri milanesi ne l'abbondanza e delicatezza dei cibi sono singolarissimi, e splendidissimi in tutti i lor conviti, e par loro di non saper vivere se non vivono e mangiano sempre in compagnia.

Che diremo de la pompa delle donne nei loro abbigliamenti, con tanti ori battuti, tanti fregi, ricami, trapunti e gioie preziosissime? Che quando una gentil donna viene talora in porta, par che si veggia l'Ascensione ne la città di Venezia.

E in qual città si sa che oggidì siano tante superbe carrette tutte ornate d'oro finissimo, con tanti ricchi intagli, tirate da quattro bravissimi corsieri come in Milano ognora si vede? Ove più di sessanta tirate da quattro cavalli, e infinite da due, se ne troveranno, con le ricchissime coperte di seta e d'oro frastagliate, che quando le donne carreggiano per le contrade, par che si meni un trionfo in città, come fu già costume dei Romani. Sovviemmi ciò che l'anno passato io udii dire a l'illustrissima signora Isabella d'Este, marchesana di Mantova. Ella fu onoratamente visitata da le nostre gentildonne come sempre è stata tutte le volte che è venuta a Milano. E veggendo insieme tante ricche carrette così pomposamente adornate, disse a quelle signore che non credeva che nel resto di tutta Italia fossero altrettante sì belle carrette.

In queste adunque delicatezze, in queste pompe e in tanti piaceri e domestichezze essendo le donne di Milano avvezze, sono ordinariamente domestiche, umane, piacevoli e naturalmente inclinate ad amare e ad essere amate e star di continuo su l'amorosa vita».

Sembra un ritratto di Cecilia, questa donna milanese fatta per l'amore e l'eleganza; ma il Bandello, che la conobbe da vicino, arricchisce quest'immagine con sfaccettature di ben diverso spessore: addirittura la propone come esempio della superiorità intellettuale a cui possono arrivare le donne, delle quali del resto il novelliere era un tenace sostenitore.

Per magnificare il primato femminile, il galante fraticello non esitava a mettere sotto accusa la società patriarcale del suo tempo: «Quanto errino alcuni buoni uomini privi di ogni buono e sano giudicio, li quali non vogliono che in modo veruno le donne siano atte a le lettere e a l'armi, è tanto facile provare, che soverchio parmi il volervisi affaticare. Perché leggendo le istorie antiche e moderne, di quale lingua si sia, si troveranno molte donne in l'una e l'altra facoltà degne di onorata e immortale memoria. E certamente se li padri volessero permettere ad alcune delle figliole darsi agli studi letterari e anco a l'armi, molte riusciriano eccellentissime come fu per lo passato».

Per trovare degli esempi di tale eccellenza, non doveva cercare troppo lontano: «Non usciremo fora de Milano e diremo solamente de la mirabile eroina Ippolita Sforza Bentivoglia, che tutto il dì si vede di passi reconditi de la lingua latina dottamente disputare. Ma come posso tacere la moderna Saffo, la signora Cecilia Gallerana contessa

Bergamina che, oltre la lingua latina, così leggiadramente versi in idioma italiano compone? E chi ormai non conosce la signora Camilla Scarampa Guidobona, le cui colte rime sono in tanto prezzo? Queste tre sono pure in Milano».

Incastonata in una triade prestigiosa, Cecilia ottiene implicitamente la palma della bellezza: quell'avverbio «leggiadramente», pur se riferito al poetare, è un omaggio alla sua grazia. La Gallerani si avvicinava ormai alla quarantina, ma doveva essere di quelle donne appassionate della vita che non consentono all'età di avvilire il loro fascino.

Queste tre dame, amiche tra loro, erano le Muse ispiratrici del Bandello, e le loro case fanno da sfondo a parecchie sue novelle, dove si rievocano piacevoli pomeriggi durante i quali, fra dotte disquisizioni e letture poetiche, non si disdegnava l'ascolto di racconti licenziosi.

Ippolita Sforza Bentivoglio era figlia di un figlio naturale del duca Galeazzo Maria e aveva sposato Alessandro Bentivoglio, figlio del signore di Bologna. Persa nel 1506 la signoria, la coppia si trasferì a Milano, dove condusse una vita sfarzosa, ospitando letterati e studiosi fra cui appunto il Bandello, che proprio da Ippolita fu incitato a pubblicare le sue novelle. La si può vedere effigiata in un affresco di Bernardino Luini nella cappella gentilizia di San Maurizio al Monastero maggiore.

Camilla Scarampa, di origine astigiana, moglie di Ambrogio Guidoboni, fu autrice di un *Canzoniere* piuttosto noto ai suoi tempi e anche cultrice di studi geografici ed economici.

L'ammirazione tributata dal Bandello a questo terzetto femminile sembra essere equamente distribuita, ma se per le altre due illustri e influenti dame l'apprezzamento dello scrittore può essere stato in parte frutto di adulazione, è senz'altro sincera la stima manifestata a Cecilia in un periodo non sospetto, quando il suo augusto protettore era ormai scomparso.

Le *Novelle* di Bandello suppliscono alla lacuna delle fonti storiche e ravvivano di nuovi tratti la figura di Cecilia, rimasta in ombra nelle sbrigative annotazioni del Trotti. L'approfondita cultura, l'originale talento poetico, il senso dell'amicizia e il gusto per l'allegria: doti di intelligenza e di cuore, che la rendono un personaggio memorabile.

Il nome della contessa Bergamini compare fin dalla prima novella della raccolta, nella dedica indirizzata dal Bandello alla sua illustre protettrice, Ippolita Sforza. Le lunghe dediche che fungono da prefazioni alle novelle presentano le circostanze, i luoghi e le persone che gli hanno fornito il materiale dei racconti, che Bandello afferma di aver semplicemente trascritti; un pretesto «per comporre al suo libro – come scrisse Benedetto Croce – uno sfondo che è una rappresentazione dell'alta società italiana di quei primi decenni del Cinquecento, così vivi, così vari, così pittoreschi»:

«Si ritrovarono ai giorni passati, in casa vostra in Milano, molti gentiluomini i quali secondo la lodevole consuetudine loro, tutto il giorno vi vengono a diporto, perciò che sempre, nella brigata che vi concorre, v'è alcun bello e dilettevole ragionamento degli accidenti che a la giornata accadeno, così de le cose d'amore come d'altri avvenimenti».

A chiamarli con il loro nome, questi «dilettevoli ragionamenti» sui fatti del giorno sarebbero in sostanza dei pettegolezzi, ma non mancavano intrattenimenti culturali: «Furono letti due sonetti, uno de la signora Cecilia Bergamina, contessa di san Giovanni in Croce, e l'altro de la signora Camilla Scarampa».

Un altro destinatario delle novelle e grande amico di Bandello era Lucio Scipione Atellano, esponente di spicco della nobiltà milanese, il cui padre era stato fra i segretari del Moro. Scipione e suo fratello avevano ricevuto in dono da Ludovico un palazzo nella zona verde di orti e di giardini presso la porta Vercellina, trasformata in quartiere residenziale di lusso. La casa degli Atellani, nell'attuale corso Magenta, guardava sulla chiesa di Santa Maria delle Grazie; aveva un cortile porticato su tre lati, con arcate a tutto sesto, colonne di ordine toscano, ghiere in cotto con serraglie di pietra scolpite a foglie d'acanto. Il porticato di fondo dava sulla sala detta dello Zodiaco dagli affreschi di cui era stata decorata nei primi anni del '500. Accanto vi era la sala detta del Luini, autore dei ritratti sforzeschi dipinti sulle lunette della volta. In queste sale si riunivano i più celebri artisti del tempo: oltre al Luini, il Sangallo, il Bramantino, e lo stesso Leonardo, che fu spesso ospite degli Atellani dal 1494 al 1497, mentre dipingeva l'*Ultima Cena* per il refettorio di Santa Maria delle Grazie.

Anche il Bandello conobbe Leonardo in quegli anni, e in una sua novella contribuì a rendere leggendario il metodo geniale, e ovviamente sregolato, con cui procedeva alla composizione del *Cenacolo*: «Soleva spesso, ed io più volte l'ho veduto, andar la mattina a buon'ora e montar sul ponteggio, perché il cenacolo è alquanto da terra alto; soleva, dico, dal nascente sole sino a l'imbrunita sera non levarsi mai il pennello di mano ma, scordatosi il mangiare e il bere, di continuo dipingere. Se ne sarebbe poi stato due, tre e quattro dì che non v'averebbe messa mano, e tuttavia dimorava talora una e due ore al giorno e solamente contemplava, considerava, ed esaminando tra sé le sue figure, giudicava. L'ho anche veduto secondo che il capriccio o ghiribizzo lo toccava, partirsi da mezzo giorno, quando il sole è in leone, da Corte vecchia ove quel stupendo cavallo di terra componeva, e venirsene dritto alle Grazie ed asceso sul ponteggio pigliar il pennello ed una o due pennellate dare ad una di quelle figure, e di subito partirsi e andare altrove».

Ritornando alla novella dedicata a Scipione Atellano, vi compaiono nuovi elogi per Cecilia, dove il Bandello chiede all'amico di farla leggere «a le nostre due Muse, la signora Cecilia Gallerana contessa, e la signora Camilla Scarampa, le quali in vero sono a questa nostra età due gran lumi de la lingua italiana».

Il complimento fatto a Cecilia nell'equipararla alla Scarampa, che era una poetessa molto affermata, ci fa ancor più rimpiangere che neppure un verso di lei sia rimasto. Significativo anche che il Bandello apprezzi come si esprimeva in «lingua italiana»; infatti lo scrittore riteneva che il peggior difetto delle donne lombarde fosse proprio l'uso del dialetto: «La natura ha negato loro un idioma conveniente a la beltà, ai costumi e alle gentilezze loro. In effetti il parlar milanese ha una certa pronunzia che mirabilmente gli orecchi degli stranieri offende. Tuttavia elle non mancano con l'industria al natural difetto supplire, perciò che poche ce ne sono che non si sforzino, con la lezione dei buoni libri volgari e con il praticare con buoni parlatori, di farsi dotte, e limando la lingua apparare un accomodato e piacevole linguaggio, il che molto più amabili le rende a chi pratica con loro».

Nel caso di Cecilia non erano state soltanto le buone letture e le dotte frequentazioni a levigare il suo linguaggio: anche l'influenza toscana della famiglia paterna doveva aver contribuito a preservarla da un'accentuata cadenza dialettale.

Ci sono poi due dediche in cui Cecilia calca la scena da protagonista, circondata da un vivace e colto gruppo di amici. La prima è ambientata in una stazione termale alla moda.

La cura delle acque era conosciuta da secoli, ma nel '400 i centri termali divennero anche ritrovi mondani, celeberrimo quello della Porretta, frequentato dai grandi nomi dell'aristocrazia di tutta Italia. Era tanto in voga questo tipo di terapia, da aver dato origine a un gioco di società, detto appunto del «bagno»: da una parte si schieravano le dame, attribuendosi ciascuna il nome di una stazione termale, dall'altra gli uomini si dichiaravano colpiti da diverse infermità e andavano cercando le acque confacenti al loro caso.

I nobili milanesi «passavano le acque» in una località poco lontano dalla città, ad Acquario, dove appunto figura essersi recata Cecilia nella prefazione della ventunesima novella della prima parte, dedicata al figlio di Ippolita Bentivoglio:

«Mentre che la molto gentile e dotta signora Cecilia Gallerana contessa Bergamina prendeva questi dì passati l'acqua dei bagni di Acquario per fortificar la debolezza de lo stomaco, era di continuo da molti gentiluomini e gentildonne visitata, sì per esser quella piacevole e vertuosa signora che è, come altresì che tutto il dì i più elevati e belli ingegni di Milano e di stranieri che in Milano si ritrovano sono in sua compagnia. Quivi gli uomini militari de l'arte del soldo ragionano, i musici cantano, gli architetti e i pittori disegnano, i filosofi de le cose naturali questionano, e i poeti le loro e altrui composizioni recitano, di modo che ciascuno che di virtù o ragionare o udir disputare si diletti, trova cibo convenevole al suo appetito, perché sempre, a la presenza di questa eroina, di cose piacevoli, vertuose e gentili si ragiona».

Pur descrivendo un estemporaneo incontro ad Acquario, il Bandello sembra indicare che riunirsi nel salotto milanese di Cecilia fosse una consolidata abitudine di un'élite culturale quanto mai variegata. Durante uno di questi amichevoli incontri, dopo aver discusso a lungo di poesia, un gentiluomo aveva estratto il *Decamerone* proponendo la lettura di qualche novella. Camilla Scarampa, evidentemente una delle ospiti fisse di Cecilia, aveva approvato la diversione, «perché gli intelletti affaticati per le dotte cose disputate, alquanto con ragionamenti piacevoli e di leggera speculazione siano ricreati»; però un'altra dama, Costanza Bentivoglio, moglie dell'ambasciatore ferrarese Lorenzo Strozzi, obiettando che tutti loro conoscevano ormai a memoria il Boccaccio, aveva suggerito di raccontare novelle meno note.

Accolta all'unanimità la proposta, era intervenuta Cecilia, scegliendo come narratore Manfredi da Correggio. «Il giovine costumato e piacevole», dopo essersi scusato per non essere «molto pratico di cotal mestiero», si era dichiarato pronto a ubbidire alla signora Cecilia «molto amabile e onoranda», riferendo una novella raccontatagli da suo zio Niccolò da Correggio al ritorno da un viaggio in Ungheria, dove aveva accompagnato Ippolito d'Este che andava a prendere possesso di un suo vescovado.

L'argomento della novella è la fedeltà delle donne: vi si narra di un cavaliere boemo che, sicuro dell'onestà di sua moglie, scommette con due ungheresi che non riusciranno a farla cadere in peccato. Il Bandello, per tanti versi paladino delle donne, non sfugge allo stereotipo che le descrive «naturalmente fragili e inclinatissime a la libidine, ché di leggero a le preghiere degli amanti si rendono pieghevoli», anzi aggiunge: «La donna di sua natura è mobile e volubile e il più ambizioso animale che sia al mondo».

Per fortuna la moglie del boemo resiste alle lusinghe e il lieto fine permette di credere che qualche eccezione sia possibile, assicurando alla novella il gradimento del pubblico, specialmente quello femminile.

La novella successiva è dedicata direttamente a Cecilia, e descrive una scena di villeggiatura:

«Questa estate passata, essendo voi per gli estremi caldi che ardevano la terra partita da Milano e ridotta con la famiglia al vostro castello di san Giovanni in Croce nel Cremonese, m'occorse, insieme col signor Lucio Scipione Atellano, andare a Gazuolo, ove dal valoroso signor Pirro Gonzaga eravamo chiamati. Onde, passando vicino al detto vostro castello, ne sarebbe paruto commetter un sacrilegio se non fossimo venuti a farvi riverenza. Non voglio ora star a raccontare quanto cortesemente fossimo da voi con umanissime accoglienze raccolti e sforzati umanamente a restar quel dì e due altri appresso con voi. Quivi, lasciando voi i soliti e dilettevoli vostri studi de le poesie latine e volgari, quasi il più del tempo con noi in piacevoli ragionamenti consumaste. E, ritrovandosi il secondo dì con voi alcuni gentiluomini cremonesi che là d'intorno avevano le lor possessioni, furono a l'ora del meriggio dette alquante novelle, tra le quali quella che il nostro Atellano narrò piacque molto a tutta la compagnia e fu da voi con accomodate parole largamente commendata. Onde tra me stesso allora deliberai di scriverla e farvene un dono. E così, come da Gazuolo a Milano ritornai, sovvenutomi de la mia deliberazione, la detta novella scrissi. E benché il soave dire del nostro Atellano non abbia questa mia novella espresso, non ho voluto restar di mandarvela. Vi piacerà dunque accettarla, come solete accettare tutte le cose a voi dagli amici donate, e farle questo favore di riporla nel vostro museo, ove di tanti uomini dotti le belle rime et ornate prose riponete, et ove con le Muse tanto altamente ragionate che ai nostri giorni tra le dotte eroine il primo luogo possedete».

Questa dedica è un racconto nel racconto, con la descrizione delle giornate nella villa di campagna, dove Cecilia trascorreva le mattinate studiando e scrivendo versi che poi, al pomeriggio, avrebbe letto ai gentiluomini dei castelli vicini, radunati dalle attrattive della sua compagnia. Il Bandello e l'Atellano, gli amici arrivati dalla città, rimangono sedotti dall'espansiva affabilità della contessa, non sanno staccarsene: a ricordo di quelle incantevoli giornate, Matteo le invia il manoscritto di una novella, chiedendo l'onore che entri a far parte della sua collezione. È una nuova tessera del mosaico: Cecilia, guidata da un gusto affinato alla corte del Moro e contagiata forse dal fervore collezionistico di Isabella d'Este e di altre dame del Rinascimento, amava raccogliere libri e manoscritti e aveva messo insieme una pregevole biblioteca.

In un'ultima, fuggevole comparsa, la «gentilissima e dotta signora Cecilia Gallerana Bergamina» è colta ancora una volta al centro del suo salotto letterario, dove viene raccontata una novella su Ludovico il Moro, del quale si mette in evidenza l'abitudine a tergiversare, senza prendere posizioni precise, esasperando fino alla follia un capitano al quale continua a promettere un beneficio senza mai assegnarglielo.

Non fu soltanto il Bandello a lodare l'eccellenza di Cecilia nelle arti. Il poeta Giulio Cesare Scaligero scrisse per lei un carme in latino nel quale sembrerebbe venire alla luce un suo ulteriore talento, quello del canto; ma l'assoluto silenzio in proposito del Bandello, che non avrebbe tralasciato di elogiare la voce di Cecilia, fa pensare piuttosto che lo Scaligero alluda alla poesia, quando esalta con iperbolica magniloquenza il canto della Gallerani:

Caecilia in speculi quoties se viderit orbe
Non alio capitur lumine: tota sua est;
Unica pulchrarum cum sit norma, unica rerum:
Sic merito potuit sola placere sibi.
Musarum est: Musae quoties docuere canentem.
At Musae illius cum docet esse volunt.
Hoc rarum est, didicisse Deas; at rarius illud:
Nam Musas, potius cum canit, ipsa facit.

(Per quante volte Cecilia si guardasse allo specchio
mai non ci sarebbe posto per nessun altra luce: è tutta sua;
unico modello di tutte le cose belle,
così giustamente lei sola può piacersi.
È compito delle Muse: quante volte le Muse le insegnarono
    a cantare.
Ma le Muse stesse la vogliono come loro insegnante.
Questo è raro, che le dee abbiano imparato da lei; e questo è
    ancora più raro:
creare lei stessa le Muse quando canta.)

Se gli omaggi di chi la conobbe personalmente possono essere stati influenzati dalla eccezionale bellezza di lei, che faceva vacillare l'obiettività del giudizio, bisogna rilevare che la sua fama di artista si è perpetuata anche dopo la sua scomparsa. Nella seconda metà del '500, Ortensio Lando inserì Cecilia Gallerani nei suoi *Cathaloghi a varie cose* come «donna dotta».

Nel '600 F. A. Della Chiesa, scrisse su di lei nel suo *Theatro delle donne letterate*: «Oltre alla lingua latina, nella quale elegantissimamente scriveva epistole, molto leggiadramente compose versi in idioma italiano, e discorreva con tal prontezza e vivacità anche alla presenza di gran filosofi e teologi, ch'era stimata non cedere alle antiche Assiotee e Aspasie, donne eloquentissime».

E F. Argelati nel '700, la citava nella sua *Biblioteca scriptorum mediolanensium*: «Ab ineunte aetate studiis dedita, latinam sibi linguam familiarem adeo effecerat, et ea non minus quam vernaculo sermone, quoties liberet, expeditissime loqueretur et scriberet». (Dedita agli studi fin dalla tenera età, a tal punto si era resa familiare la lingua latina, non meno del proprio dialetto, da parlarla e scriverla a suo piacere molto speditamente.)

Questa rassegna di lodi tributate a Cecilia durante i secoli testimonia che aveva saputo conquistarsi un posto di rilievo fra le figure femminili del Rinascimento, anche dopo la caduta della dinastia sforzesca: la sua fama, pur originata dalla protezione del Moro, si era poi diffusa grazie alle sue capacità personali.

Ma finché gli Sforza furono al potere, Cecilia fu sicuramente legata alle loro fortune e continuò a frequentare la scena della corte sulla quale, nell'anno successivo al suo matrimonio col Bergamino, si videro splendidi festeggiamenti: il 1493 inizia infatti con le celebrazioni per la nascita del figlio del Moro e di Beatrice, e si concluderà con il fastoso sposalizio di Bianca Maria Sforza con l'imperatore Massimiliano d'Asburgo.

Nato il 23 gennaio alle undici di sera, il primogenito di Ludovico, battezzato col nome di Ercole in onore del nonno materno ma poi chiamato Massimiliano per ingraziarsi l'imperatore, giungeva a consolidare le ambiziose mire del padre, che ordinò feste di inusitata solennità, in stridente contrasto con quelle in sordina organizzate due anni prima per il legittimo erede ducale Francesco.

Attenta cronista di quei giorni di festa è una damigella ferrarese, Teodora Angelini, che inviò un minuzioso resoconto a Isabella d'Este, rimasta a Mantova. Fin dal 24 gennaio nella stanza del Tesoro della torre della Rocchetta, attigua alle camere di Beatrice, era stata allestita l'esposizione dei «regali della cuna», che arrivavano in continuazione da ogni parte d'Italia, collocati su lunghi tavoli ricoperti «de broccato d'oro e cremisi foderato de gatti de Spagna», precisa l'Angelini sensibile ai dettagli eleganti.

Ludovico volle coinvolgere tutta la città, «sì nel render gratie a Dio cum processioni et suoni di campane che ancora continuano – scriveva il 30 gennaio, cioè una settimana dopo la nascita – sì in far rilasciare li incarcerati per debito della ducal Camera et per condannatione de maleficii».

Il 4 febbraio la corte fu ammessa a visitare la puerpera, il bambino e la mostra dei doni. Entrando nella stanza di Beatrice, l'Angelini l'aveva trovata circondata da «gentildonne, madonne et zitelle assaissime». Cecilia probabilmente faceva parte del gruppo: ormai Beatrice, assolto il compito di dare il desiderato erede maschio al marito, non aveva più alcun motivo di tener lontana la rivale spodestata. Il letto di Beatrice «haveva un bancale intorno de brocato d'oro e morello, et era coperto da uno sparavero de raso cremisino tuto listato de lettere et rosette d'oro massiccio. Le lettere contenevano l'una "Lud", l'altra "Beatrice".»

La stanza accanto era «la camera delle asse del putino», rivestita a listoni di legno per ripararla dal freddo e guarnita «de bellissimi arazzi». Accanto al camino stava la culla «facta qua in Milano, assai elegante tucta dorata cum quattro colonne et cum uno sparavero galante, facto de cordelle d'oro et de seta turchina cum rizette d'oro fra una cordella e l'altra, cum lo suo lettucio coperto d'una coperta de broccato d'oro», dentro al quale stava «lo putino tutto coperto de broccato d'oro».

Anche la camera successiva a quella del neonato era stata tappezzata di arazzi, e il Moro in quei giorni vi dava udienza, per non allontanarsi mai dalla famiglia.

Nella stessa stanza era insediato «l'astrologio Magistro Ambrogio, senza il quale non si fa niente», impegnato a stabilire la data più propizia alla cerimonia religiosa della benedizione della puerpera, anzi delle puerpere, perché non era stata sola, Beatrice, a partorire: pochi giorni dopo di lei Isabella d'Aragona aveva dato alla luce una bambina, chiamata Ippolita come la nonna materna.

Questa seconda maternità di Isabella era stata portata avanti in un momento di gravissima crisi: nell'autunno precedente, infatti, era scoppiato uno scandalo che, seppure rimasto nell'ambito della corte, aveva esposto la duchessa ad accuse di tentato omicidio. Trascurata e maltrattata dal marito, che circondava invece di attenzioni un suo favorito chiamato Rozone, Isabella avrebbe cercato di eliminare il rivale prezzolando dei servitori perché lo avvelenassero, e non lui soltanto: altra vittima designata sarebbe stato Galeazzo Sanseverino, colpevole, secondo lei, di invischiare sempre più il duca negli stravizi.

Scoperto il complotto da parte delle spie del Moro, i servitori sospettati furono arrestati e sotto tortura confessarono il nome di Isabella come mandante, dando così al Moro un'arma per screditarla completamente. Re Ferdinando scrisse in difesa della nipote, rifiutandosi di credere che avesse potuto concepire un simile piano, tanto più nei confronti del Sanseverino «amato da noi come un figlio e sempre dimostratosi buon servitore e parente verso

Isabella»; quanto a cercare di eliminare l'indegno Rozone «se lo avesse fatto non era da stupirsene, in che anzi si meraviglia non avesse fatto di più».

L'episodio era stato messo a tacere ma non dimenticato, anzi il Moro lo sfruttava per far credere che Isabella avesse cominciato a tramare contro lui stesso e Beatrice. Per questo la duchessa ormai viveva isolata e reietta, anche se formalmente compariva nelle cerimonie ufficiali, come la solenne benedizione delle puerpere in occasione della nascita di Massimiliano e Ippolita.

Prescelto «per puncto de astrologia» il giorno di mercoledì 20 febbraio a mezzogiorno, il rito ebbe luogo nella chiesa di Santa Maria delle Grazie, che il Moro stava facendo trasformare in un gioiello dell'architettura rinascimentale per collocarvi il grandioso mausoleo della sua famiglia. Nel 1490 Bramante aveva applicato alla facciata la porta maggiore a forma di protiro, con la lunetta affrescata da Leonardo. Ancora a Bramante era stata affidata la grande tribuna absidale, la prima pietra della quale fu posata nel 1492, dopo aver demolito la precedente abside gotica.

L'attenzione di Teodora Angelini si era concentrata soprattutto sugli abiti indossati dalle due duchesse: «La duchessa de Bari haveva una galante veste di tela d'oro e incarnato, cum groppi de seta turchina ricamati, cum una sbernia de seta turchina; la duchessa de Milano, una veste de broccato d'oro e velluto verde scuro, fatta quasi a spina de pesce, cum cordoni cremisi, cum una sbernia de velluto cremisi foderata de tela beretina non tagliata: una bella inventione che pareva da lungi una fodera de agnelli beretini».

Dopo il solenne *Te Deum*, aveva avuto inizio una serie ininterrotta di feste. Fra i ricevimenti offerti dai privati in onore della nascita di Massimiliano, uno sarebbe stato a casa dei Bergamini, secondo Ettore Verga, autore della celebre *Storia della vita milanese*: «Ricevimento memorabile fu quello dato da Cecilia al Duca e alla Duchessa, a Ludovico il Moro e Beatrice d'Este, quando si festeggiò la nascita del figlio di quest'ultimo, Massimiliano».

Della notizia di questo «ricevimento memorabile», di cui peraltro Verga non indica la fonte, non si trova traccia nella diligente cronaca dell'Angelini: «Uditi cantar li cantori galantemente il Te Deum e altre laude, se montò in caretta et se andò a casa de quelli della Torre, i quali fecino una digna et magna festa, dove si stette fino alle XXIV ore (le sei di sera)».

Quella dei Torriani, o della Torre, era stata la prima dinastia a ottenere il dominio di Milano. Pur sconfitti dai Visconti, erano rimasti una delle più autorevoli famiglie della città.

Il giorno successivo, giovedì, era stata Beatrice a offrire una festa al Castello; poi, «venerdì non se fece festa, ma tutte le giovani andarono a caccia a piacere nel barco, dove fecero caccia di tre daini». Dopo questa giornata tutta al femminile, dove forse possiamo intravvedere anche un'apparizione di Cecilia, il sabato ci fu un'altra festa in una casa privata, al palazzo di Gaspare della Pusterla.

Anche i Pusterla erano una famiglia antica e potente, nota fin dal Medio Evo per la grande ricchezza. Ogni anno, nella ricorrenza del loro santo protettore, un grandioso cavallo di legno usciva dal portone del palazzo, che sorgeva nella contrada a cui davano il nome, e preceduto da musici veniva trascinato fino al Duomo, dove s'apriva lasciando uscire una fila di paggi carichi di doni per la cattedrale. A casa Pusterla fu offerto un rinfresco, non degnato dall'Angelini della stessa attenzione tributata ai vestiti: «In mezzo alla festa fu fatta una colatione de confecti etc. Domani che sarà domenica se fa l'ultima festa in Rocchetta».

In quella settimana quindi non avrebbe potuto trovar posto una festa a palazzo Dal Verme: quanto a Cecilia, è probabilmente compresa nel numero delle «gentildonne assaissime et bene et riccamente adornate» che l'Angelini afferma partecipassero a ogni ricevimento.

Le feste comunque proseguirono, tanto che, poiché si era entrati in Quaresima, il Moro chiese la dispensa papale per poter continuare a mangiare di grasso. Ne avvisava Isabella d'Este un'altra damigella ferrarese, Maria Trotti, che le scriveva il 15 marzo: «Noi stiamo ogni dì in feste bellissime» sottolineando però che l'unica vera festeggiata era Beatrice. «Pare che non la duchessa di Milano, ma solo vostra sorella sia stata quella che habbia partorito.»

E Teodora Angelini rincarava: «Della duchessa di Milano, ancor che sia puerpera, non scriverò altro perché me credo si trovi assai et molto malcontenta et basta».

Convinta ormai che il Moro stesse per esautorarli ufficialmente, Isabella era disposta a suscitare una guerra per prendersi il potere, e scrisse al padre, nel latino delle dichiarazioni pubbliche, una lettera amara e sdegnata, che fu definita da Traiano Boccalini, «la face che incendiò l'Italia»:

«Da più anni, o padre, mi sposaste a Gian Galeazzo perché, appena giunto all'età virile, egli governasse da sé il suo regno. Ecco, ha passato la prima gioventù, è padre: e a stento può ottenere da Ludovico la comodità della vita. Ad arbitrio di lui si trattano guerre e paci, si fanno leggi, s'impongono balzelli, si adunano tesori, tutto insomma si fa a suo beneplacito; mentre noi, privi di ogni soccorso e senza mezzi, conduciamo una vita da privati, e padrone dello Stato non sembra Gian Galeazzo, ma Ludovico. Ora ha avuto dalla moglie un figlio che tutti dicono vuol far succedere nel Ducato, e intanto onora la puerpera come fosse la duchessa, mentre noi e i nostri bambini siamo spregiati e sottoposti a lui, non senza pericolo di essere uccisi a tradimento. Ben sento in me anima e intelletto, il popolo ci ama e compassiona, mentre odia lui, che per avarizia lo ha dissanguato; ma, impari di forze, devo tollerare ogni sorta di umiliazioni, né posso parlare liberamente, tra servi devoti a lui. Se hai sensi paterni, se le mie giuste lacrime ti possono piegare, se nel tuo petto è regale magnanimità, togli il genero e la figlia dalla dura schiavitù, riponili sul trono carpito a tradimento. Che se nessun pensiero hai di noi, meglio togliermi da me stessa la vita che patire il giogo altrui.»

Afferma il Corio che dopo aver letto questa lettera della figlia Isabella, Alfonso «grandemente fu acceso quasi ad ira implacabile contro Ludovico» e avrebbe voluto prendere subito le armi contro l'usurpatore, ma suo padre Ferdinando, consapevole di non essere attrezzato per affrontare una guerra contro Milano, tentò invece le vie diplomatiche, inviando i suoi oratori a fare opera di persuasione, con un discorso palesemente adulatorio: «Da parte del nostro re dobbiamo ringratiarti che habbi con tanta prudentia, ingegno, vigilantia, modestia e continentia non solo governato l'imperio milanese, ma anche per tua summa e quasi divina prudentia accresciuto, e come arbitro de Italia tanto tempo habbia saputo concordare Giano con Marte, non solo essendo ti lo auctore de la pace, ma anche il conservatore di quella».

Né erano dimenticati i suoi meriti nella riforma urbanistica: «Questa inclita città di Milano decorata de tanti numerabili e superbi edificii, sì celeberrimi templi», tanto da poter essere considerato un «secondo costruttore» della capitale lombarda. Lo si invitava però ad affidare il regno al nipote, perché «pareva cosa vituperanda che, come mentecatto e bisognoso, ancora a questa etade non sappia usare lo scettro». Ludovico avrebbe del resto potuto continuare ad affiancarlo come consigliere, «tu per le optime admonitione, consigli et exempli flecterai la lubrica e giovanile etade a giustitia e continentia».

Il Moro restò impassibile, fedele alla sua tattica mimetica, che il Corio aveva acutamente analizzato: «Dissimulava le cose presenti, l'occasione aspettava al vendicarsi;

mai non era superato dalla collera quantunque a la sua presentia ricevesse dispiacere; ogni cosa mostrava equamente udire e, quantunque a lui fosse stato cosa deterrima e dispiacevole, non di meno dissimulava di essere ingiuriato». Rimandò gli ambasciatori «senza darli ancora alcuna speranza de la richiesta sua», e studiò le mosse più adatte per sventare l'offensiva del re di Napoli.

Aveva bisogno di due alleati: il primo era Massimiliano d'Asburgo, che poteva concedergli l'investitura imperiale, mettendo così Gian Galeazzo in una posizione illegale; il secondo Carlo VIII re di Francia, da invitare alla conquista del regno di Napoli, da più di un secolo rivendicato dai francesi come eredità degli sconfitti Angioini.

La lettera di Isabella al padre non rappresentava che la spinta decisiva per un'azione che Ludovico aveva già progettato: l'intervento straniero era una forza da tempo sperimentata negli stati italiani per scardinare le coalizioni avversarie.

Pronto a rischiare quell'avventatissima manovra, lo Sforza inviò in Francia Carlo Barbiano di Belgioioso con un messaggio molto esplicito per Carlo VIII, in cui gli diceva che il popolo e l'aristocrazia napoletana non vedevano l'ora di essere liberati dal malgoverno di Ferdinando e lo attendevano a braccia aperte. E concludeva: «Si quid te retinet, mone, quantum in me erit prestabo» (Se hai qualche problema dimmelo, farò tutto il possibile per aiutarti).

Quanto all'alleanza con l'imperatore, per legarlo a sé Ludovico pensò a un patto matrimoniale: propose in moglie a Massimiliano, trentaquattrenne e vedovo, la propria nipote ventunenne Bianca Maria, i cui sponsali erano andati in fumo perché, dopo la morte del padre Mattia, Giovanni Corvino era stato escluso dalla successione.

L'ammontare della dote pretesa dall'imperatore era spropositato: trecentomila ducati. Per l'investitura ducale, Ludovico avrebbe dovuto sborsarne altri centomila. Si trattava praticamente di un terzo del Tesoro dello stato.

Onerosissimo anche il costo del corredo, valutato attorno ai settantamila ducati, in assoluto il più lussuoso di cui sia rimasto l'inventario. Soltanto in gioielli superava i trentamila ducati. L'argenteria poi comprendeva un servizio di piatti e boccali per ventiquattro, corredato di vassoi e zuppiere di varie misure, oltre alle forniture per l'altare. D'argento anche gli oggetti per usi più intimi, come lo scaldaletto e l'orinale.

Meno sontuoso, in proporzione, il numero dei vestiti, inferiore rispetto a quelli di Cecilia: aveva ragione il Trotti a dire che la Gallerani faceva «più pompa delle duchesse». Le camore erano diciotto, e nessuna di broccato (quelle di Cecilia ventotto, di cui quattro di broccato), e le sbernie erano sette (contro le sedici di Cecilia). C'erano però dei mantelli pesanti, detti «roboni», in previsione del clima rigido che la sposa avrebbe dovuto affrontare: uno per le occasioni ufficiali, di panno d'oro e celeste, era foderato di ermellino, un altro di velluto nero era foderato di lupi cervieri.

Oltre ai vestiti figuravano tre tipi di scarpe, delle quali erano previste ventiquattro paia per ciascun tipo: «caligae», «solee seu cipre» e «calcei». Come acconciature, cinque «crespine» in tessuto aureo e argenteo, e sei «scuffie» di velo (come quella portata da Cecilia nel ritratto), di vari colori e ricamate. Di velo anche le «gorgere», cioè delle sciarpe che mascheravano le scollature e proteggevano la gola dagli spifferi.

La biancheria personale prevedeva una buona scorta di camicie. Le più pregiate erano in tela di Fiandra, proveniente da Cambrai: Bianca Maria ne aveva otto, ricamate a filo auroserico di diversi colori, di cui una «con maniche lunghe fino a terra». Aveva poi quaranta camicie di tela del Reno. Oltre ai capi confezionati, la sposa era fornita anche di pezze di tela intere: sei di Cambrai, otto del Reno e, per gli usi più comuni, cinquanta pezze di «tela nostrana». Un accessorio importante erano i «pectenadoria», gli scialletti che coprivano le spalle durante le lunghe sedute coi parrucchieri: Bianca Maria ne aveva quattro, due di Cambrai contornati da balze dorate, e due di tela del Reno con fibbie d'oro.

Il matrimonio fu celebrato solennemente a Milano il primo dicembre del 1493: lo sposo, trattenuto in patria, era rappresentato dal vescovo di Brixen. La città era stata parata a festa: «Dal castello sino al Duomo tutte le strade erano coperte di panni cum verdure», descrive sommariamente il Trotti; Beatrice, scrivendo alla sorella Isabella, conferma gli addobbi ma aggiunge un particolare che attesta lo sforzo di rinnovamento urbanistico: precisa infatti che non erano rivestiti di panni i muri delle case appena ridipinte, «che non sono manco belli a vedere de le tapezerie». I milanesi non si erano limitati ad appendere drappi e festoni: chi poteva si faceva notare esponendo oggetti curiosi; il cronista ufficiale Tristano Calco, ad esempio, notò che da una finestra spenzolava un coccodrillo impagliato, «cosa mai vista in altra città d'Italia».

La sposa incedeva sopra un carro trionfale, sul quale aveva voluto salire anche Beatrice, come testimonia il Corio: «La Bianca con Beatrice, moglie de Ludovico, ascese sopra uno trionfale carro, da quattro bianchissimi cavalli furono conducte al Domo». Bianca Maria era vestita in raso cremisi ricamato a raggi d'oro, con un lunghissimo strascico retto da un gentiluomo; altri due, ai lati, reggevano le maniche, tanto ampie da sembrare ali d'arcangelo. Beatrice portava una camora di velluto morello, ornata con il motivo degli intrecci chiamati «vincii» in oro massiccio, e aveva una collana di grosse perle con al centro uno scintillante balasso, una gemma rossa un po' più chiara del rubino.

Dopo la messa nuziale il vescovo di Brixen posò sul capo di Bianca Maria la corona d'oro inviata da Massimiliano, tempestata di rubini, diamanti e perle, sormontata dai simboli imperiali del globo e della croce.

In tanto splendido sfarzo, aveva fatto scalpore l'abbigliamento della duchessa Isabella che, per sottolineare davanti agli illustri invitati la sua emarginazione, si era vestita modestamente e senza gioielli.

Il messaggio in codice, immediatamente decrittato dalla corte, ebbe un impatto dirompente: quella di Isabella era stata una dichiarazione di ostilità, che da una parte fece infuriare il Moro e dall'altra lo spinse a sfruttarla per i suoi fini, dandogli l'occasione di spargere la voce che Isabella preparava un colpo di stato.

Il Trotti ne informava il giorno dopo, 2 dicembre, il duca d'Este, dicendo che Ludovico si era lamentato con lui della «mala natura et mala voluntade» della nipote e «del grandissimo odio che portava a lui et a la duchessa de Bari, et che la era in superlativo invida e maligna». L'aveva anche accusata esplicitamente di «aver tenuto pratiche di levargli lo Stato et il Castello».

Il 3 dicembre, una data scelta dagli astrologi in assoluto disprezzo delle condizioni atmosferiche, Bianca Maria affrontava l'impervio viaggio verso il suo destino di imperatrice. Il percorso prevedeva il superamento di duemila metri di dislivello in condizioni d'emergenza, soprattutto essendo pieno inverno: soltanto la traversata delle Alpi, al passo di Fraele, durò dall'8 dicembre alla vigilia di Natale.

Arrivata a Innsbruck non trovò, come invece era previsto, lo sposo: dovette attenderlo fino alla domenica delle Palme. E ci fu un ritardo anche nella consumazione del matrimonio: «La sera ambi dui andarono a lecto ma – afferma il Corio – per essere li giorni della Passione dil figliolo de la Vergine, lo continentissimo re fu di tanta religione che se bene ogni nocte stesse con la amata regina, non mai usò seco più presto che la nocte de Pascha. Ivi restò gravida ma dopo tre mesi, andando in Fiandra, per la fatica del cammino si disperse». In seguito a questo aborto Bianca Maria non poté più avere figli. Morirà non molti anni dopo, nel 1510. La sua fragilità di salute era già stata notata dal Lomazzo, che la descrisse: «Dolcissima di cera, di statura di corpo lunga, di viso ben formata e bella, e di altri lineamenti del corpo graziosissima e ben proporzionata, ma gracile».

Con la partenza di Bianca Maria si chiudeva il periodo più prospero e pacifico del dominio di Ludovico.

E si apriva quell'anno 1494 che il Guicciardini definì: «Anno infelicissimo all'Italia e in verità primo degli anni miserabili».

# CAPITOLO VIII

# LA CADUTA DEL MORO

«**I**O PENSO CHE PER I NOSTRI PECCATI LUDOvico a questo tanto male fosse destinato»: le conseguenze della discesa in Italia di Carlo VIII erano state tanto devastanti per i destini dell'Italia intera che il Corio non se la sentiva di scaricarne la colpa addosso a un solo individuo. Era un peccato collettivo, l'egoismo di gruppi di potere aggrappati a sterili particolarismi, che avevano svenduto la loro libertà.

Non c'è dubbio che, al di là delle oggettive responsabilità del Moro nell'aver dato esca alle ambizioni di Carlo VIII, la riconquista dell'Italia meridionale già entrasse nei piani dei francesi, mai rassegnati alla sconfitta subita dagli Angioini. Inoltre Carlo VIII si sognava liberatore della Terra Santa, e non avrebbe potuto trovare, per una spedizione contro i turchi, una base più adatta del regno di Napoli.

Che poi le mire francesi non fossero circoscritte al sud dell'Italia era apparso chiaro dalla tentata conquista di Genova. Inoltre il Moro sapeva bene che Luigi d'Orleans, cugino di Carlo VIII, portava inquartata nel suo stemma la biscia viscontea dichiarandosi erede del ducato di Milano, con una parvenza di legalità: il testamento di Gian Galeazzo Visconti prevedeva infatti, in caso di estinzione del ramo maschile della famiglia, il passaggio del ducato agli eredi di sua figlia Valentina, maritata al duca d'Orleans.

Le minacciose implicazioni di una calata francese in Italia erano quindi ben note a Ludovico, il quale a suo rischio sventolava questo spauracchio per tenere a freno Ferdinando d'Aragona.

In effetti la minaccia funzionò. Il Trotti avvertiva il duca d'Este che Ferdinando aveva scritto al suo oratore milanese «dolendosi e rammaricandosi de la dissolutione de la sua Lega con questo Stato de Mediolano, asserendo che la serà indubitamente la rovina d'Italia, e che la cosa sia vergognosa, mostrando oltremodo desiderare che si pensi qualche via honesta a la reconciliatione».

Indeciso per temperamento e in quel frangente particolarmente dubbioso del passo intrapreso, Ludovico avrebbe volentieri fermato la calata francese. Il Trotti lo trovava infatti «molto raffreddato nel desiderio che hanno i Franzosi de le cose d'Italia, e cognosco che indubitamente el non vorria che le cose fossero tanto avanti, perché el conosce che le cose siano pericolose per questo Stato».

Ferdinando nel gennaio del 1494 moriva, lasciando il trono al figlio Alfonso II, molto più invelenito nei confronti del Moro, del quale occupò subito il feudo di Bari.

A quel punto l'unico deterrente per il nuovo re di Napoli sembrava proprio l'intervento francese. Lo scrisse esplicitamente Ludovico al fratello Ascanio; non desiderava la rovina di Alfonso, ma era necessario ridimensionarne le pretese: «Bisogna obbligarlo a pensare ai casi suoi perché non distenda la mano su quello degli altri. Bisogna dunque che i francesi discendano». Del resto, aggiungeva, «sarà facile mettere un freno al progresso dei Francesi».

Con questi ambivalenti presupposti, Ludovico incominciò a interpretare attivamente la sua parte nell'alleanza, offrendo a Carlo VIII cospicui finanziamenti e aprendo alle navi francesi il porto di Genova.

L'esercito passò le Alpi in estate, attraverso il Monginevro; il 9 settembre il re di Francia entrava ad Asti, feudo
di Luigi d'Orleans, in quanto città dotale della sua ava
Valentina Visconti. Qui avvenne l'incontro con il Moro e
Beatrice, elegantissima in broccato oro e verde, con un
cappello di velluto cremisi ornato di penne grigie e rosse.

L'aspetto di Carlo era poco rassicurante: tutti i contemporanei concordano nelle descrizioni della sua ripugnante bruttezza. Scriveva l'ambasciatore veneto Badoer:
«Il re di Francia ha ventidue anni, piccolo e mal fatto della persona, brutto di volto con dei grossi occhi bianchi
molto più adatti a veder male che bene; il naso aquilino
grande, grosso più del conveniente: anche le labbra sono
grosse e le tiene costantemente aperte. Ha nelle mani certi movimenti nervosi fastidiosi a vedersi ed è lento nell'esprimersi».

La bruttezza esteriore, secondo il Guicciardini, rispecchiava anche quella del carattere: «Quello per la venuta
del quale si causarono tanti mali, sebbene dotato sì ampiamente da beni della fortuna, era spogliato quasi di tutte le doti della natura e dell'animo; perché è certo che
Carlo fino dalla puerizia fu di complessione molto debole
e di corpo non sano, di statura piccolo e d'aspetto bruttissimo; e l'altre membra proporzionate in modo che pareva quasi più simile a mostro che a uomo».

Il Corio poi lo definiva «dedito a luxuria più che quasi
non poteva»: per questo Beatrice d'Este, consapevole del
valore della bellezza sul tavolo della politica, si era fatta
accompagnare da ottanta damigelle, «con alcune delle
quali il re pigliò amoroso piacere, e quelle presentò di
preciosi anelli». Pochi giorni dopo però, Carlo VIII si
trovò afflitto da una preoccupante eruzione cutanea: Ambrogio da Rosate, subito convocato, diagnosticò un attacco di vaiolo, mentre il medico reale, Teodoro Guarnerio,

non aveva dubbi nel considerare la malattia di origine venerea. Oltre agli anelli, quindi, Carlo aveva lasciato ben altri ricordi alle compiacenti damigelle milanesi.

Trattenuto dalla malattia, il re di Francia soltanto a ottobre raggiunse a Vigevano il Moro, che avrebbe voluto condurlo direttamente a Milano, ma Carlo insistette per recarsi a Pavia a visitare il duca Gian Galeazzo, prostrato dal riacutizzarsi della grave gastroenterite che lo perseguitava da anni, cronicizzata dai sistematici stravizi. Voci non troppo occulte propalavano che i medici mandati dallo zio lo stavano avvelenando. Anche il Corio sembra dar credito ai dubbi: «Il duca era vexato da grave infermitate e non senza suspecto a poco a poco declinando pareva incurabile».

Il 17 ottobre il re di Francia fece visita al duca di Milano, nella sua camera da letto nel castello di Pavia. Isabella, incinta per la terza volta, assisteva angosciata al declino inarrestabile del marito, e viveva giorni d'ansia anche per la sorte del regno paterno.

In un primo momento si era rifiutata di vedere il nemico acerrimo del suo casato, ma poi gli era andata incontro pregandolo di desistere dall'impresa; il re non potè che rispondere, imbarazzato: «Pregate per vostro marito e per voi, che siete ancora giovane e bella».

Raccomandando a Carlo la moglie e i figli, Gian Galeazzo volle fargli prendere in braccio l'erede Francesco. Il re ripartì molto commosso; pochi giorni dopo, il 21 ottobre, Gian Galeazzo moriva. Il suo ultimo desiderio era stato di farsi portare in camera due cavalli regalati dall'amato «barba», di cui insistentemente richiedeva la presenza.

Il Moro, che aveva accompagnato Carlo VIII a Piacenza, arrivò a Pavia che Gian Galeazzo era già morto, e diede subito disposizione che fosse trasportato a Milano per il funerale, ordinando di esporre il corpo in Duomo, forse per mettere a tacere le accuse di avvelenamento.

Il 22 ottobre Ludovico, «convocati li primati della città, prudentemente propose la creazione di uno nuovo duca e disse gli pareva cosa conveniente che Francesco Sforza, primogenito del defunto principe, dietro al padre dovesse seguitare. Ma finalmente levandose Antonio Landriano, Galeazzo Visconte e alcuni altri, dissero che per la conditione del tempo gli pareva non fanciulli dovessero succedere a tanta dignitate, anzi congrua cosa pareva ad ognuno che epso pigliasse lo sceptro ducale, et a questa proposta niuno osando contradire, fu consentito che Ludovico nel ducato di Milano dovesse succedere. E così gridandose duca e factose portare una veste de drappo d'oro, montato a cavallo scorse la città, li suoi fautori gridando: "Duca!". Le campane in segno di letitia fece sonare, il morto corpo di Giovanni Galeazzo ancora essendo nel Domo scoperto e quasi universalmente pianto e condoluto il miserando e pietoso caso».

Il Corio nella sua esposizione dei fatti non fa mistero della compassione che prova per Gian Galeazzo, «immaculato agnello senza veruna causa spinto dal numero dei viventi» e per la duchessa spodestata: «Isabella a Pavia con li poveri figlioletti vestiti di lugubri vestimenti, come prigioniera si recluse entro una camera e gran tempo stette giacendo sopra la dura terra, che non vide aere. Dovrebbe pensare ogni lettore l'acerbo caso de la sconsolata duchessa e se più duro il coro havesse che diamante, piangerebbe a considerare qual doglia dovea essere quella della sciagurata et infelice mogliere, in un punto vedere la morte del giovinetto e bellissimo consorte, la perdita de tutto lo imperio suo e li figlioletti a canto orbati d'ogni bene, il patre e fratello con la casa sua expulsi dal napolitano reame e Ludovico Sforza con Beatrice sua mogliere, nel modo dimostrato havergli occupata la Signoria».

Nel suo melodrammatico racconto, il Corio anticipa il disastro della dinastia aragonese, che ancora non s'era compiuto.

La prima tappa della sua discesa portò Carlo VIII in territorio fiorentino, dove trovò Piero de' Medici disposto a patteggiare il passaggio delle truppe. Per questa sua arrendevolezza Piero fu spodestato dai partigiani del Savonarola, il quale peraltro, instaurata la repubblica, non ostacolò il re di Francia, indirizzandolo anzi a Roma perché deponesse con le armi l'indegno pontefice Alessandro VI, alleato degli Aragonesi, favorendo così la riforma della Chiesa.

Il Moro aveva pattuito con Carlo VIII che, passando in Toscana, togliesse Pisa ai fiorentini assegnandola a lui; il re invece restituì alla città la sua libertà, scontentando in un colpo solo sia Firenze che Milano. Frustrato e deluso, anche perché Carlo non lo trattava da pari a pari, il Moro aveva lasciato trapelare il suo dispetto con l'ambasciatore veneto: «Il Re l'è superbissimo et ambitiosissimo quanto imaginar se può, e non stima alcuno. Qualche fiata che eravamo seduti insieme, el mi lassava come una bestia solo in camera e lui cum li altri andava a far colatione».

Era ragionevole attendersi che almeno a Roma Carlo sarebbe stato fermato, invece il papa, preso dal panico, scese a patti con lui, abbandonando l'alleato aragonese al suo destino.

A quel punto niente avrebbe più potuto ostacolare il balzo finale e il 21 gennaio 1495 Alfonso decise di abdicare in favore del figlio Ferdinando, detto Ferrandino, «universalmente da li popoli amato – afferma il Corio – per la sua clementia, pietate, iustitia e liberalitate».

Ma questo amore popolare non era abbastanza risoluto da impedire che si aprissero le porte della città a Carlo VIII, che vi entrò trionfalmente il 22 febbraio, mentre Ferdinando fuggiva in Sicilia.

Il condottiero milanese Gian Giacomo Trivulzio, che militava sotto gli Aragonesi, passò allora al servizio del vincitore: sarà un aguerrito strumento della rovina del

Moro, il quale non aveva saputo accattivarselo, anteponendogli sempre Galeazzo Sanseverino.

Lo straordinaria facilità con cui Carlo VIII si era installato a Napoli stupiva gli stessi ambasciatori francesi, che dicevano «essere operazione procedente dalla divina onnipotenza e non da alcuna operazione umana, vedendo questa felicissima successione sine aliqua renitentia nelle cose di sua maestà».

L'idea della punizione divina non era però che un alibi, una rimozione delle responsabilità dei signori italiani. Se ne accorgeva Isabella d'Este, che con cristallina lucidità scriveva al marito: «Questo caso debbe essere exemplo a tutti li Signori et potentie del mondo de far più extima di cuori de li subditi, che de forteze, tesoro et gente d'arme, perché la mala contentezza de li subditi fa peggior guerra che lo inimico».

Ma Ludovico, molto meno sagace di lei, continuava invece a gravare sulle spalle dei sudditi oberandoli di tasse. Anche nel 1495 continuarono i dispendiosi festeggiamenti: il primo fu a febbraio, per la nascita del secondogenito del Moro, Sforza, che sarà poi chiamato Francesco. Nessuna rilevanza venne data invece alla nascita, pochi giorni dopo, di Bona, figlia postuma di Gian Galeazzo.

L'altra solenne celebrazione ebbe luogo a maggio, quando Ludovico ricevette ufficialmente l'investitura ducale da parte dell'imperatore. Lo sfarzo della cerimonia viene descritto quasi a malincuore dal Corio, consapevole che nelle pagine successive avrebbe dovuto parlare del crollo di tanto splendore: «Havendo nel maggior templo de Maria Vergine con stupende cerimonie udito li divini uffici, a la porta del tempio sopra una grandissima et eminente tribuna tutta coperta de raso cremesino ricamato a moroni, furono lecti li privilegii e poi ornato Ludovico del manto, beretta e sceptro ducale, e d'inde per Giasone del Maino, celeberrimo et elegantissimo giurista fatta la oratione, tutti andarono a visitare il templo del divo Ambrosio, nostro glorioso patrono, e poi con immensa alegreza ritornarono al castello dove furono celebrati sì stupendi trionfi quanto a nostro secolo fussero d'altri».

Il malcontento del popolo milanese per le vessazioni economiche imposte dalle spese della corte e della guerra doveva essere ben evidente, se il Trotti scriveva a Ferrara: «Questa città sta pessimamente contenta de sua Signoria e del governo suo, per storcer denari da chi ne ha e da chi non ne ha!».

La sistematica oppressione dei sudditi, oltre all'angusta visione delle dinamiche politiche generali e alla sopravvalutazione della propria forza, avevano reso Ludovico estremamente vulnerabile: lo dimostra la facilità con cui Luigi d'Orleans, uscendo da Asti, occupò Novara, che gli aveva aperto le porte in odio al Moro, colpevole di non aver rispettato i diritti di canalizzazione dell'acqua, deviata a favore della tenuta della Sforzesca.

Ludovico, che era stato tanto sicuro di poter «mettere un freno al progresso dei Francesi», si trovava spiazzato: da una parte doveva felicitarsi con l'alleato Carlo VIII per la riuscita della sua impresa, dall'altro era preoccupatissimo per le conseguenze che ne sarebbero derivate, e confidava all'ambasciatore veneziano Sebastiano Badoer, giunto a Milano per combinare una strategia comune contro il re francese: «Io convengo cum le lacrime a fare qualche demostratione de alegreza per questa conquista di Napoli, per finzer più che posso cum questo ambassador de Franza».

La calamità della conquista era aggravata dell'esecrabile condotta dei francesi, come riferiva lo stesso Badoer: «Di questa notizia tutta la terra mostra ricevere grandissima molestia per aver, ultra li altri respecti, quella nation francese infensissima, supra quod dici potest, per i sinistri et crudelissimi comportamenti suoi». Perfino il consigliere del re, De Commynes, stigmatizzava il comportamento di Carlo VIII: «Non ha pensato altro che a darsi al bel tempo, mentre i suoi pensavano a prendere ed intascare».

Ma non si trattava solo di ruberie: il Corio descrive violenze e soprusi, che facevano rimpiangere il dominio aragonese: «Le case private contra la regia voluntate erano misse in preda, li templi erano spogliati né le sacre vergini erano salvate dalla loro libidine, le private femine vituperosamente erano vergognate, in modo che in qualunque parte era abundantia de luxuria, insolentia e rapina, per le quali cose da per tutto il nome gallico era bestemmiato e cominciarono a chiamare il nome di Ferdinando».

Per porre rimedio alla sciagura che non avevano voluto impedire, gli italiani decisero di ricompattare le proprie forze, unendosi in una Lega antifrancese, sostenuta economicamente soprattutto dai veneziani, con l'appoggio esterno dell'imperatore e del re di Spagna.

Venuto a conoscenza delle manovre intraprese dalla Lega, Carlo VIII comprese che rischiava di rimanere intrappolato in fondo all'Italia e risalì precipitosamente la penisola con un esercito di circa diecimila uomini.

Il 2 luglio fu fermato a Fornovo dall'esercito confederato, forte di venticinquemila uomini, capitanato dal marchese di Mantova Francesco Gonzaga. Nonostante la preponderanza numerica l'armata della Lega, per il mancato coordinamento tattico e il desiderio di impadronirsi del tesoro reale più che di vincere la battaglia, permise ai francesi di aprirsi un varco e di rientrare in patria con perdite ridotte.

A Napoli tornò Ferdinando: Ludovico poteva fingere di aver ottenuto quello che voleva, chiamando e poi cacciando il re di Francia, spodestando e poi rimettendo sul trono il re di Napoli, ma in realtà non era stata una dimostrazione di forza, perché davanti a tutta l'Europa l'Italia si era mostrata inerme, facile preda per ogni ambizioso. La situazione era ben riassunta in un sonetto dal poeta Pistoia: *Passò il re Franco, Italia, a tuo dispetto*, che concludeva amaramente:

Se ben del mondo acquistasti l'impero
mai non si estinguerà il tuo vitupero.

La lezione non fu compresa: l'illusione di utilizzare ai propri fini la potenza altrui impigliava in un gioco letale Ludovico che, abbandonato l'alleato francese, l'anno successivo invitò in Italia l'imperatore Massimiliano, che avrebbe dovuto impedire ai fiorentini di riprendersi Pisa, conquistandola invece per il ducato milanese. Per portare avanti quest'operazione, che del resto non raggiunse alcun risultato, il Moro si inimicò i veneziani, anch'essi interessati al dominio su Pisa: ancora una volta la sua miope visione politica lo portava a scardinare avventatamente il labile sistema degli equilibri italiani.

A differenza di Carlo VIII, amante del fasto e dei divertimenti, l'imperatore si conformava a uno stile austero. Il cronista veneziano Marin Sanudo il Giovane lo descrive sempre vestito di nero, con la collana del Toson d'oro al petto: diceva di voler portare il lutto finché non fosse stata liberata Gerusalemme.

Ludovico accolse l'imperatore a Vigevano e non volle condurlo a Milano, forse temendo che il popolino manifestasse a favore del «duchetto», come veniva chiamato il figlio di Gian Galeazzo; queste almeno le voci raccolte dal Sanudo nel suo *Diario*: «El Re dei Romani non entrò in Milano perché il duca Ludovico non volse. La ragion fu varia e tra le altre si diceva che c'era del popolo de Milano, dal qual il Duca era odiato, e venendo il Re, dicto popolo non cridasse: "Viva el Duchetto!", cioè el fiol del Duca defunto, di anni otto, bellissimo, savio et astuto garzon el qual era custodito in castello de Milano, né mai niun lo lassava uscir, né andar per la terra».

Nel *Diario* del Sanudo, come si è detto, si trova un accenno a palazzo Dal Verme, dove venivano alloggiati illustri ospiti di passaggio a Milano; viene nominata anche Cecilia: «Il palazzo fu del conte Pietro Dal Vermo, nunc donato per il duca al signor Cesare suo fiol natural, nato di madonna Cecilia, la qual fu sua favorita et è viva, e sta nel ditto palazzo, non ancora compito di fabricar».

Se l'unico commento è sul perdurare dei lavori di ripristino, ancora in corso dopo quattro anni, si può pensare che lo scrittore abbia visto la casa soltanto da fuori, senza partecipare ai trattenimenti lodati dal Bandello: forse perché quella piacevole consuetudine non si era ancora instaurata. È infatti probabile che Cecilia, finché Ludovico restò al potere, preferisse frequentare la corte, piuttosto che creare un circolo culturale alternativo.

La sua presenza non è però documentata, anche se qualcuno ha voluto riconoscerla in una damigella al seguito di Massimiliano, primogenito del Moro, cui si fa riferimento in un codice detto dell'*Jesus* (dall'immagine miniata del Redentore), contenente una serie di illustrazioni e filastrocche sulle attività quotidiane dell'erede sforzesco. Il codice risale al 1496, anno della venuta in Italia dell'imperatore Massimiliano, che vi è effigiato. Il piccolo aveva quindi tre anni, anche se nelle illustrazioni appare come un fanciullo in età scolare.

Il pregio del codice è nelle splendide miniature che rievocano la vita alla corte milanese. Una delle scene raffigurate presenta il piccolo conte di Pavia seduto a tavola, di fronte alla governante in camora scarlatta, con una reticella verde e oro sui capelli, intrecciati in un lungo coazzone. Seduto accanto al bambino, con una veste dal collo di pelliccia, sta il pedagogo, e due sono gli addetti al servizio di tavola, un sescalco in rosso e un paggio col farsetto verde e il tovagliolo sulla spalla. Più indietro sono schierate tre damigelle vestite con camore bianche, dalle maniche verdi, e con una lenza d'oro attorno al capo. Il pasto sembra svolgersi in camera da letto, perché sullo sfondo si vede appunto il letto, su cui è stesa una coperta cremisi ricamata a stelle d'oro, sormontato da uno «sparavero» bianco con cappelletto purpureo.

Il testo, di un poeta anonimo, descrive la scena e nomina i personaggi illustrati:

> Qui mastro Ambrosio dice:
> dà de le uvette al Conte
> e lui con lieta fronte
> dimanda del cappone
> perché è miglior boccone,
> di che la balia ride
> e tal question decide
> dicendo ch'è contenta.
> Un quadro gli presenta
> Quell'Ottavian che taglia
> Zacherin se travaglia
> Col vino a tuttavia
> Resta poi in compagnia;
> dopo che have disnato
> il Conte e la Beatrice
> Cecilia, Caterina,
> che al Conte dan piacere.

Cercando di identificare a tutti i costi i personaggi della scenetta con nomi già noti, c'è chi ha pensato che mastro Ambrosio sia Ambrogio da Rosate, e Cecilia possa essere la Gallerani. Se la prima ipotesi ha qualche fondamento, in quanto l'astrologo aveva il compito di visitare quotidianamente i figli del duca, è veramente improbabile che proprio la Gallerani, con tante damigelle che Beatrice aveva al suo seguito, potesse essere addetta alla compagnia del piccolo Massimiliano.

Comunque, anche se in qualche modo presente a corte, Cecilia era stata ormai soppiantata nel cuore del Moro da un'altra donna, Lucrezia Crivelli, una delle belle

damigelle di Beatrice, sposata a un Giovanni da Mona-
stirolo.

La relazione tra il Moro e la Crivelli iniziò nel 1495,
stando alla testimonianza di Girolamo Stanga, il quale
sottolineava la massima discrezione del duca: «Se com-
porta cum grande modestia e tanto cautamente del mondo». Eppure, secondo il *Diario* ferrarese pubblicato dal
Muratori, nel 1496 la tresca era già nota e attirava critiche sul Moro: «Tutto il suo piacere era con una fante che
era donzella della moglie, con la quale el non dormiva
già, sicché era mal voluto».

Se Ludovico disertava il letto di Beatrice, era probabilmente con il consenso di lei, in quell'anno incinta per la
terza volta in cinque anni di matrimonio, e travagliata da
una gravidanza difficile.

Anche Lucrezia fu ritratta da Leonardo: lo testimonia
un epigramma latino conservato nel *Codice Atlantico*.

> Huius quam cernis nomen Lucretia, Divi
> Omnia cui larga contribuere manu.
> Rara huic forma data est: pinxit Leonardus, amavit
> Maurus, pictorum primus hic, ille ducum.

(Il nome di quella che vedi è Lucrezia, alla quale gli dei elar-
girono ogni dono con generosità. A lei fu data rara beltà: la
dipinse Leonardo, l'amò il Moro; questo, primo fra i pittori;
quello, fra i duci.)

Il ritratto di Lucrezia viene generalmente riconosciuto nel
quadro del Louvre chiamato *La belle ferronière*, dalla lenza con gioiello in fronte portata dalla dama. La pettinatura a coazzone e l'abbigliamento sono simili a quelli di Cecilia. Porta una camora di velluto cremisi, con la fascia ricamata alla scollatura e le maniche allacciate da nastri che
lasciano vedere gli sbuffi della camicia. Manca però la
sbernia, forse passata di moda.

Questo quadro ha un'inquietante particolarità: lo spettatore è attirato dallo sguardo della donna ma non può mai intercettarlo, anche se cerca di spostarsi, di girarle intorno, quasi si trattasse di una scultura. Lo sperimentalismo di Leonardo anche in questo caso esalta l'elemento enigmatico e simbolico della bellezza femminile.

Se Cecilia aveva angustiato il Moro con le sue spese eccessive, Lucrezia gli chiedeva continuamente favori per suo fratello Giovanni Andrea, un avido ecclesiastico che viveva a casa di lei, collezionando benefici e prebende.

Nonostante la Gallerani fosse ormai un capitolo chiuso, Ludovico riversava un grande affetto sul figlio Cesare, tanto più che nel 1496 gli morirono tutti e tre i figli naturali avuti in precedenza, Galeazzo, Leone e Bianca Giovanna.

Cesare era allevato a corte insieme ai figli legittimi, come è testimoniato dalla *Pala sforzesca* conservata nella Pinacoteca di Brera, eseguita nel 1494: accanto a Beatrice è inginocchiato un bambino in fasce, Ercole Massimiliano, che aveva appunto un anno, mentre il bambino più grande accanto a Ludovico non può che essere Cesare, allora di tre anni, vestito come un adulto, con una giubba di velluto listato.

Altri documenti provano la sua presenza al Castello, come le lettere del segretario Bartolomeo Calco, incaricato di informare il duca, quando non era a Milano, della salute dei figli. Nel 1498, i suoi dispacci parlavano di quattro bambini: Massimiliano, conte di Pavia, Sforza, duca di Bari, Cesare, e poi Gian Paolo, il figlio avuto dalla Crivelli. Il Calco assicurava che tutti i giorni Ambrogio da Rosate li visitava e che erano «sani et gagliardi et tutti alegri». Allo stesso anno appartiene una letterina di ringraziamento di Cesare al padre, che gli aveva regalato un cavallo «ben imbriato», cioè con tutti i finimenti.

A tal punto il Moro voleva favorire Cesare, da pensare di nominarlo arcivescovo di Milano a sei anni. Lo testimonia uno degli ambasciatori ferraresi, Antonio Constabili, il quale il 18 agosto 1497 avvertiva il duca d'Este che, poiché l'arcivescovo di Milano era gravemente malato (sarebbe morto in ottobre), Ludovico aveva concepito il disegno di nominare all'alta carica «il signor Cesare suo fiolo naturale nato da madonna Cecilia», ma il clero si era opposto e il priore delle Grazie Vincenzo Bandello, nel quale il duca riponeva la massima fiducia, in un lungo colloquio l'aveva dissuaso, convincendolo che era impossibile per un bambino ricoprire quell'ufficio.

Il progetto era effettivamente insensato, ma in quel periodo tutta la vita della corte era alla deriva, e l'equilibrio mentale di Ludovico molto scosso, a causa della morte di Beatrice d'Este, avvenuta il 2 gennaio del 1497.

Il primo giorno dell'anno, quasi presaga, forse non sentendo più muovere il bambino che portava dentro di sé, Beatrice era rimasta a lungo in preghiera nella chiesa delle Grazie, inginocchiata sulla tomba della sua grande amica Bianca Giovanna, figlia del Moro e moglie di Galeazzo Sanseverino, morta due mesi prima, a quattordici anni. La duchessa aveva dovuto essere staccata a forza di lì; poi, tornata al Castello, in serata non aveva rinunciato a danzare. Colta dalle doglie, alle nove di sera aveva partorito un bambino morto, morendo poi a sua volta, dissanguata, poco dopo la mezzanotte.

Ludovico si abbandonò a plateali manifestazioni di dolore, che allora del resto rientravano nel rituale del lutto: i sentimenti di grande rilevanza sociale andavano inscenati secondo un repertorio codificato, che in qualche modo li rendeva misurabili.

Fece rivestire di drappi neri le pareti della sua stanza e vi si chiuse al buio, infagottato negli indumenti più umili che fu possibile trovare: un giubbone di fustagno nero e un consunto mantello di panno lungo fino a terra.

L'ambasciatore ferrarese Antonio Constabili scrisse al duca d'Este che il Moro si era sfogato con lui «con parole che havriano fatto schiopare li sassi», perché era macerato dal rimorso di aver trascurato Beatrice. Non potendo chiedere perdono alla moglie, lo chiedeva al suocero, rimproverandosi «che non haveva fatto a la duchessa quella buona compagnia che la meritava, e che se in cosa alcuna l'haveva offesa, el che sapeva di avere fatto, ne domandava perdono a vostra Excellentia».

Il corpo di Beatrice fu trasportato a Santa Maria delle Grazie, dove il 3 gennaio furono celebrate esequie solenni, contemporaneamente officiate in tutte le città del ducato. Fu poi interrata nel coro absidale, dove già erano sepolti i figli naturali del Moro. Ludovico dispose che per una settimana fossero celebrate messe ininterrottamente, giorno e notte, ogni quarto d'ora e che per un anno ogni martedì, giorno del decesso di Beatrice, a corte si digiunasse. Lui poi non si sarebbe seduto a tavola, ma avrebbe mangiato in piedi, sopra un vassoio retto da due camerieri.

Per avere sempre il volto della moglie davanti a sé, il Moro sostituì il suo anello a sigillo, una corniola scolpita con l'effigie di un imperatore romano, con uno che raffigurava Beatrice.

Al di là delle manifestazioni esteriori, non si può dubitare che il Moro si sia sentito fortemente deprivato dalla perdita della moglie, che con il suo carattere imperioso lo stimolava all'azione, fugava le sue insicurezze. Anche l'Ariosto, esaltando Beatrice nei suoi versi, le avrebbe attribuito questa funzione di sostegno:

... avrà forza di far seco felice
Fra tutti i ricchi Duci il suo congiunto,
Il qual, com'ella poi lascerà il mondo,
Così degli infelici andrà nel fondo.

Sepolta la moglie, il Moro fu preso dalla frenesia di veder finiti al più presto i lavori in Santa Maria delle Grazie, dove aveva preso l'abitudine di andare a mangiare il martedì e il sabato, in una stanza tutta abbrunata, appositamente allestita per lui e dedicata a una ipotetica santa Beatrice. Alla stessa santa sarebbe stata dedicata la cappella a forma di esedra a sud della cupola bramantesca, mentre quella a nord sarebbe stata dedicata a san Ludovico. Scrisse nel giugno del 1497 a Marchesino Stanga di sollecitare Cristoforo Solari affinché scolpisse entro l'anno non solo il monumento funebre raffigurante Beatrice e lui stesso giacenti una accanto all'altro, ma anche l'altare; se fossero mancati i marmi, «se mandino a torre a Venezia o a Carrara». Inoltre gli ordinò «di solicitare Leonardo fiorentino perché finisca l'opera del refettorio delle Gratie principiata, per attendere poi a l'altra fazada d'epso refetorio»: oltre l'*Ultima Cena*, desiderava veder finita al più presto anche la commissionata *Crocefissione*.

Pochi giorni dopo la morte di Beatrice, Lucrezia Crivelli mise al mondo un figlio maschio, Gian Paolo, che le valse, da parte del Moro, la donazione di cui si è parlato. Nonostante avesse intensificato le pratiche religiose dopo la scomparsa della moglie, Ludovico non adottò uno stile di vita ascetico, ma continuò la relazione con la Crivelli, che accrebbe ancora il numero dei suoi figli naturali.

Fra le persone che confortarono Ludovico con la loro amicizia, non poteva mancare Cecilia: secondo lo studioso Felice Calvi, il Moro alla morte della moglie tornò a cercare la sua compagnia, dimostrandole il suo affetto con il dono di un quadro di Leonardo, una *Madonna col Bambino* che benedice una rosa, che sullo zoccolo della cornice recava questa iscrizione: «Per Cecilia qual te orna, laude e adora, El tuo unico fiolo, o Beata Vergine, exora».

La morte di Beatrice sembra segnare un punto di svolta nella storia di quegli anni, cancellando il clima brillante della corte. Poi un'altra scomparsa diede il via agli avvenimenti che travolsero tutto lo stato: Carlo VIII morì il 7 aprile 1498 senza eredi, lasciando quindi il regno al cugino Luigi d'Orleans, che come prima impresa volle prendersi il ducato di Milano.

Prima di affrontare l'impegno di una guerra, però, Luigi XII tentò una via pacifica, che fosse economicamente proficua. Chiese al Moro duecentomila ducati per lasciargli il trono ducale, anche se in rappresentanza del re di Francia, con l'obbligo di assumere, come capitano generale dell'esercito, quel Gian Giacomo Trivulzio che si era guadagnato la fiducia dei francesi i quali, sapendolo nemico del Moro, confidavano che avrebbe tenuto le armate ai loro ordini.

Il Moro radunò il Consiglio per discutere la proposta: Galeazzo Sanseverino ovviamente si opponeva e anche il tesoriere Antonio Landriano votò contro, assicurando che con quella somma avrebbero potuto fare guerra alla Francia per duecento anni. Questo consiglio gli sarebbe costato caro: nel momento stesso della sconfitta del Moro sarà picchiato a morte da alcuni cittadini esasperati, capro espiatorio dell'esoso fiscalismo.

Essendo stata respinta la sua offerta, Luigi XII si preparò alla guerra assicurandosi l'alleanza di Venezia, sancita il 9 febbraio 1499 con il trattato segreto di Angera. L'imprevidente politica del Moro, che si era inimicato i potenti vicini veneziani, aveva maturato i suoi frutti micidiali.

Al comando di Gian Giacomo Trivulzio, l'esercito francese attraversò le Alpi ai primi d'agosto del 1499. Il Moro mandò il grosso delle sue armate, guidate da Galeazzo Sanseverino, oltre il Po, per fronteggiare i nemici che da Asti cercavano, radendo l'Appennino, di sfociare nella pianura lombarda. Il Sanseverino, restìo ad affrontare i francesi in una battaglia campale, si tenne sulla difensiva asserragliandosi ad Alessandria.

A Milano le previsioni erano infauste, e il poeta Pistoia, abbandonata la sua vena ridanciana, indirizzava a Ludovico versi sfiduciati:

Io vedo la tua piaga di tal sorte
che il medico di lei sarà la morte.

Arrivavano a raffica le notizie dei tradimenti dei vari castellani, che per viltà o corruzione aprivano le porte delle città ai francesi. Quando seppe che anche Galeazzo Sanseverino aveva ceduto Alessandria, il Moro decise di lasciare Milano e rifugiarsi presso l'imperatore con i figli e il Tesoro ducale, ridotto a duecentoquarantamila ducati, per armare un nuovo esercito.

Nel frattempo la resistenza avrebbe dovuto concentrarsi nel Castello di Milano, in grado di reggere a un assedio di parecchi mesi, essendo ben rifornito e presidiato da duemilaottocento fanti e milleottocento macchine da guerra. Ne affidò la custodia a quello che riteneva il più fido tra i suoi castellani, Bernardino da Corte, dopo averla rifiutata al suo stesso fratello Ascanio che, perso il favore del pontefice, lo aveva raggiunto a Milano per essere al suo fianco in quel momento critico.

Il Moro propose alla nipote Isabella d'Aragona di unirsi a lui nella fuga, ma lei non volle saperne. Allora le fece donazione del feudo di Bari, esortandola a rifugiarsi lì con i figli ma Isabella, vittima anch'essa di un'ambizione accecante, coltivava la speranza che il re di Francia, in odio al Moro, avrebbe messo sul trono, almeno nominalmente, suo figlio Francesco: così decise, per sua sventura, di restare a Milano.

Il 2 settembre, dopo essersi recato a pregare sulla tomba di Beatrice in Santa Maria delle Grazie, il Moro partì con un seguito di circa quattromila persone, secondo la stima del Corio: però solo in cinquecento arrivarono con lui in territorio imperiale. Giunto a Merano fu informato del tradimento di Bernardino da Corte, che aveva ceduto al nemico il Castello di Milano senza sparare neanche un colpo: «Da Juda in qua non fu mai il magiore traditore de Bernardino Curtio» proferì il Moro prima di chiudersi in un disperato mutismo. Era in preda allo sconforto quando arrivò a Innsbruck, dove incontrò l'imperatore, che cercò di rianimarlo: «Con grande amore et humanitate – scrive il Corio – il cominciò persuadere volesse stare di bono animo, considerato che fra poca brevitate di tempo lo restituirebbe nel ducale imperio». Le promesse dell'imperatore non gli sembrarono sufficienti, se Ludovico ricominciò a tramare: «Si rivolse a procurare che lo imperatore dei Turchi contra li suoi adversari si conducesse in Italia».

Le colpe del Moro nella propria rovina erano palesi: il poeta Pistoia, impietoso, si fece interprete del giudizio della storia:

> Parea di Ludovico il mondo in pegno
> e che quel fatto sol fosse per lui;
> ma il ciel, visti i superbi modi suoi,
> troncogli in un momento ogni disegno.
> Per lui guidato fu più di un vessillo,
> ché la discordia del vivere italiano
> fea parer valoroso un cuor pusillo.
> E come per rapina ebbe Milano,
> dopo la violenza d'un pupillo,
> senza rapina gli cascò di mano.

Entrando a Milano, il 6 ottobre, Luigi XII fece una sosta a Sant'Eustorgio dove indossò il berretto e il manto ducale, poi si diresse al Castello. Vedendolo «così bello et fornito de artilleria – annotò Ambrogio da Paullo – molto restò meravigliato et grandemente improperò quello nuovo Juda de Bernardino da Corte». Sulla sorte del traditore si sofferma il Guicciardini: «Rifiutato da ognuno, come di fiera pestifera ed abbominevole il suo commercio, e schernito da per tutto dove arrivava, tormentato dalla vergogna e dalla coscienza, passò non molto dopo per dolore all'altra vita».

Tutti i potenti italiani erano accorsi a Milano per rendere omaggio al re di Francia, in prima fila il cognato del Moro, Francesco Gonzaga, e il suocero Ercole d'Este. Invariabili pompe, invariabili danze accolsero il nuovo padrone: «Si stette cum gran spasso e ricreatione», commentava Isabella d'Este, soddisfatta di aver ballato con il re.

Luigi pretese dai milanesi il giuramento di fedeltà, ma essi vollero sottoporgli un loro progetto di autonomia. Pur ritenendosi formalmente sudditi di sua maestà, intendevano ritornare, come dopo l'estinzione dei Visconti, alla Repubblica ambrosiana: «I Milanesi eleggeranno da loro il suo Consiglio et Parlamento nel quale tracterà tutte le cose de lo Stato, e che quella Reale Maestà non se impicci né innovi altro.» Il re accettò di istituire un senato, pur controllato dal governatore francese, poi tolse alcune gabelle e concesse alle Corporazioni misure protezionistiche.

Furono invece amaramente deluse le speranze di Isabella d'Aragona, alla quale oltretutto strappò il figlio, inviandolo in Francia: costretto a entrare in convento, Francesco morirà nel 1512. A Isabella, di sicuro pentita di non aver seguito i consigli dello zio, non rimase che imbarcarsi con le due figlie per il suo feudo di Bari.

Si rinnovò il medesimo scenario di cinque anni prima, alla discesa di Carlo VIII: i francesi si fecero aborrire per la loro barbarie. Rimarcava il Sanudo: «I Francesi son sporca gente, vete il re udir Messa senza candela, mangia solo senza forchetta e tutti lo sta a vedere; in castello esser gran sporcheria, nel qual il signor Ludovico non ci voleva veder neppur paglia in terra. Et Francesi pissano in le camere, cacano in corte et in sala».

A parte i modi villani, dilagavano soperchierie e brutalità, denunciate da una relazione ufficiale del governatore: «Ogni ora ne sono sparse nuove querele de queste gente franzese alloggiate intorno a Milano, che vogliono alloggiare a discrezione e non voleno pagare, ma che pegio menazano e fanno del male a le persone».

I disagi portavano a rimpiangere lo Sforza; il Pistoia, specchio dell'opinione pubblica, incitava il Moro a rovesciare le sue sorti:

> Deh! Torna a riveder li servi tuoi,
> torna alla tua città che ti richiama,
> torna alle Grazie a riveder la Dama...
> Mettiti a la ventura
> per acquistar la persa Signoria
> che vincere o morir gloria ti fia.

Ludovico non aveva imparato niente dalle sue disgrazie, non si riconosceva colpe di sorta. A chi gli rimproverava l'eccessivo carico fiscale, rispondeva di aver imposto ai sudditi tante tasse «per poter conservare lo Stato in le molte guerre che sono occorse»; ammetteva che «li è forse stato grave qualche acerbità fatte da gli ufficiali ne le esazioni de questi denari... ma a noi era necessario mostrare de serrare gli occhi quantunque ne gravasse più a noi che a loro». Quindi, non aveva dubbi: «Non se potrà mai dire che il mal governo nostro ce habbi fatto perdere lo Stato. Se adverso infortunio nostro ha voluto così, patientia. Speriamo in Dio, se li piacerà, ne habia restituire in casa nostra».

Per tentare la rivincita aspettò che Luigi XII tornasse in Francia col grosso dell'esercito, lasciando il Trivulzio, nominato maresciallo di Francia, a presidiare lo stato. Assoldate delle truppe formate in prevalenza da mercenari svizzeri, alla fine di gennaio del 1500 il Moro rientrò in Italia col fratello Ascanio, acclamato dalle popolazioni che gli riaprivano le porte delle città.

A Milano si sparse la voce dell'arrivo del Moro e i suoi fautori incitarono il popolo a sollevarsi e a cacciare i francesi, tanto che il Trivulzio evacuò la città, dove il Moro fu accolto «cum magno applauso et letitia», anche se asserragliato nella Rocchetta resisteva un manipolo irriducibile di francesi, che inutilmente Ludovico tentò di sloggiare con bombardamenti. Francesco Sforza non avrebbe mai immaginato che il primo fuoco d'artiglieria subìto dal Castello che portava il suo nome, potesse venire dai cannoneggiamenti di suo figlio.

Per pagare il soldo ai mercenari, il Moro dovette impegnare i celebri gioielli del Tesoro, fra cui il diamante detto il Lupo, due enormi balassi, uno chiamato lo Spigo e l'altro Morone, un rubino con l'impresa a lui cara del Caduceo, catene d'oro e decine di fili di perle.

Deciso ad affrontare i nemici in campo aperto, prima di condurre l'esercito a Novara, volle arringare la folla. Inconsueto discorso di un condottiero che fidava più nelle stelle che nelle armi: indicando la sua linea di condotta, infatti, dichiarava di mettere al primo posto la preghiera, poi «se sforzava di intendere la natura delle stelle, come seconde cause, per saper mitigare il male e seguire il bene; e gli pareva che tutti gli uomini che avessero sentimento se dovessero governar a questo modo», concludendo che «tutti gli astrologi gli havevano predetto che quel dì haverìa Novara, et senza battaglia».

In effetti in un primo momento la sorte sembrò favorire Ludovico. Scontratisi gli eserciti davanti a Novara il 6 aprile, gli sforzeschi ebbero la meglio, ma non sferrarono il colpo decisivo: «Se Ludovico avesse saputo seguire la vittoria – scrisse il cronista Antonio Grumello – quel giorno restava vittoriosissimo de tanta impresa». Il giorno successivo ancora si lasciarono sfuggire l'opportunità di chiudere la partita, «e così due volte si ebbe Ludovico Sforza la victoria in mano e non la seppe cognoscere».

L'8 aprile l'esito della battaglia fu rovesciato perché gli svizzeri si astennero dal combattere. La Dieta Federale infatti, saputo che anche il Trivulzio aveva assoldato degli svizzeri, per evitare spargimenti di sangue tra compatrioti aveva decretato che entrambi i contingenti sospendessero le ostilità. Si riuscì però ad avvertire soltanto quelli del campo sforzesco, che si ritirarono, mentre dall'altra parte si continuò il combattimento.

Il Moro avrebbe potuto tentare una manovra con le altre squadre di cui disponeva ma, incapace di emulare il valore del nonno Muzio Attendolo e del padre, soprannominati «Sforza» perché sapevano rovesciare le situazioni più sfavorevoli, prese la vile decisione di travestirsi da fante svizzero, mischiandosi ai mercenari che lasciavano il campo per rimpatriare. Riconosciuto, fu fatto prigioniero e condotto in Francia, dove sarebbe morto otto anni dopo, nella fortezza di Loches.

Anche il cardinale Ascanio fu portato esule in Francia, ma nel 1503 lo inviarono a Roma per sfruttare la sua influenza nel Concistoro: mossa dannosa, perché non fece che tramare contro i francesi. Tornato ricco e potente, morì però di peste nel 1505.

I fiancheggiatori del Moro furono coinvolti nella sua caduta: parecchi ritennero opportuno lasciare la città. Fra questi il conte e la contessa Bergamini, che si erano visti requisire il palazzo Dal Verme, messo da Luigi XII a disposizione del governatore Carlo d'Amboise.

Si rifugiarono a Mantova, approfittando dell'ospitalità di Isabella d'Este, che già nel 1498, quando Cecilia le aveva inviato, su sua richiesta, il ritratto leonardesco, le aveva assicurato la sua protezione. Nello stesso periodo anche Leonardo lasciava Milano: era diretto a Venezia, ma fece una tappa a Mantova. Si ritiene probabile che viaggiasse con l'amica Cecilia.

Fra gli esuli a Mantova, anche Lucrezia Crivelli, in quel periodo incinta di un altro figlio del Moro. Isabella d'Este aveva predisposto di sistemarla in un convento, ma quando Lucrezia, giunta a Canneto sull'Oglio, le comunicò il suo stato, le mise a disposizione la rocca di Canneto, dove rimase per molti anni coi figli recuperando anche, per i buoni uffici di Isabella, parte dei beni ricevuti dal Moro.

Sulle vicende di Cecilia durante l'esilio, poco è dato sapere. Sirio Nulli, biografo del Moro, asserì nel 1929 di aver rintracciato nell'archivio di Mantova delle lettere scritte dal conte Ludovico Bergamini, in cui si diffondeva, con dettagli scabrosi, sulle prodezze erotiche compiute insieme alla moglie, tanto che poi non riuscivano a reggersi in piedi.

Le spudorate confidenze, del resto conformi ai compiacimenti licenziosi e paganeggianti della società rinascimentale, non costituiscono un'eccessiva sorpresa, se le colleghiamo ai dubbi espressi dal Trotti dieci anni prima, che il Moro si rovinasse la salute «per troppo coito» con Cecilia. Ma è impossibile verificare fino a che punto si sbrigliassero nei sensi e nella fantasia, perché le lettere citate dal Nulli non sono rintracciabili. Nell'archivio di Mantova rimangono solo due brevi messaggi del Bergamini, datati 1501, che contengono dei semplici convenevoli.

Non sappiamo quando Cecilia e il marito fecero ritorno nel ducato di Milano: nel 1502 erano ancora a Mantova, se si riferisce a lei, in una lettera, uno dei più noti buffoni del tempo, fra' Serafino. Scrivendo da Brescia a Mantova, al suo protettore, il cortigiano Enea Furlano detto il Cavaliere, in chiusura gli rivolgeva la preghiera di raccomandarlo «a la mia patrona madonna Secilia». Questo gioco di parole tra Sicilia e Cecilia, già messo in voga dal Bellincioni, avvalora l'ipotesi che alludesse proprio alla contessa Bergamini, che si era evidentemente ben inserita in quella società dove cultura e spirito erano le doti più apprezzate.

Per facilitare il rientro in patria, ricorsero ancora a Isabella d'Este; lo afferma Francesco Malaguzzi Valeri, senza peraltro citare le fonti: «Isabella li protesse raccomandandoli agli invasori francesi e arrivando fino a vantare la virtù e i costumi di lei».

# CAPITOLO IX

# LA VITA CONTINUA

L A CADUTA DELLA DINASTIA SFORZESCA sovvertì le fortune dei Bergamini, che vissero gli anni della dominazione francese nell'emergenza. Nel 1501 vennero infatti confiscate le terre del conte Ludovico, con il pretesto di un suo debito nei confronti di un certo Beltramino Ferrari, poi fu la volta del feudo di Saronno e di un altro possedimento di Cecilia a Pavia, dono del Moro.

Trovarono rifugio in una delle case della famiglia Gallerani a Carugate.

Lo sappiamo con certezza perché da lì risulta spedita, il 3 marzo 1506, una lettera di pugno di Cecilia al marchese Francesco Gonzaga, un tassello fondamentale per ricostruire la sua personalità, perché in quella lettera – che scrisse di getto, per difendersi dall'accusa di essere in qualche modo favoreggiatrice di un assassino – appaiono mobilitate tutte le risorse di carattere e di esperienza che le avevano permesso di gestire a suo vantaggio le oscillanti circostanze della vita.

Durante il suo soggiorno a Mantova, Cecilia aveva assiduamente frequentato un cortigiano molto influente, Enea Furlano, detto il Cavaliere; la loro amicizia è testimoniata anche nella citata lettera del buffone fra' Serafino che, scrivendo al Cavaliere, lo incaricava di portare i suoi omaggi alla contessa.

Il Furlano era stato molto caro a Francesco Gonzaga, che gli aveva promesso in sposa la sua figlia naturale Teodora, ma poi era stato soppiantato da un nuovo favorito, un certo «Milanese», arrogante e corrotto, che approfittava dell'incauta predilezione del marchese per spadroneggiare a corte arricchendosi indebitamente e spargendo zizzania.

Il Milanese si era meritato l'odio generale, anche se nessuno osava opporglisi apertamente a causa dell'alta protezione di cui godeva; finché il Furlano, esasperato, lo pugnalò a morte e poi fuggì portando con sé la fidanzata Teodora.

La sua speranza era che il marchese si lasciasse convincere dai cortigiani, tutti avversi al Milanese, che il morto era un losco figuro e quindi il suo uccisore aveva molte attenuanti; in questo caso il Cavaliere avrebbe potuto ricevere il perdono e tornare a Mantova, diventando il genero del Gonzaga. Ma le cose non andarono così: nell'omicidio del Milanese il marchese vide un attentato contro il proprio potere e perfino contro la propria persona, e scatenò nei confronti del Furlano un'accanita caccia all'uomo. I primi sospettati di proteggere il criminale furono i cognati di Ferrara, cioè il duca Alfonso d'Este e sua moglie Lucrezia Borgia, ma tutti quelli che erano stati amici del Cavaliere furono accusati di connivenza.

Cecilia fu tra coloro che dovettero discolparsi. Le riusciva penoso essere attaccata dal Gonzaga, soprattutto perché non voleva essere tacciata di ingratitudine, data l'ospitalità di cui aveva fino a poco prima goduto.

Scrivendo al marchese dimostra un'impeccabile perizia nel modulare tutte le sfumature del linguaggio di corte; sapeva qual era il suo posto nella gerarchia nobiliare, e dosava abilmente la dovuta sottomissione con il legittimo orgoglio, permettendosi anche un guizzo di civetteria, nell'esprimere il desiderio di poter indossare un'armatura per difendere il suo onore a singolar tenzone.

Facendo riferimento a un messaggio precedente, che non era stato sufficiente a placare l'ira del Gonzaga, ribadisce la sua totale estraneità alla vicenda, ma non sconfessa l'amicizia per il Furlano. Pur stigmatizzando l'azione violenta di lui, cerca di far comprendere al Gonzaga che l'ucciso costituiva un pericolo per tutto il paese: secondo la mentalità del tempo, il Cavaliere facendo giustizia sommaria aveva in qualche modo reso un favore al marchese, togliendo di mezzo chi gli rovinava la reputazione.

In chiusura, Cecilia ribadisce la sua sudditanza nei confronti del Gonzaga, con un malinconico e non casuale pensiero a Ludovico il Moro, imprigionato in Francia. Sparito lui dalla scena politica, anche se non dal suo cuore, la lealtà della contessa è tutta per il marchese di Mantova, al quale trasmette implicitamente un avvertimento: i rovesci della sorte sono repentini, i nemici di oggi possono essere utili domani.

«Dal mio cancelliere Alessio ho inteso con mio gran dispiacere come Vostra Eccellenza non abbia voluto accettare la mia lettera, cosa che non avrei mai pensato da Lei, anzi avrei stimato che, anche se non fossi quella vera servitrice che Le sono, ma una nemica, non avrebbe rifiutato di vedere le mie ragioni, evidenti a tutto il mondo, le quali anche Vostra Eccellenza, spero in Dio, comprenderà, e avrà dispiacere di essersi con me a torto adirata.

Poi il suddetto mi ha, in nome dell'Eccellenza Vostra, fatto intendere che mi debba ricordare delle parole dette col Gattino alla morte del Milanese, le quali, per mostrare che ne ho memoria, gliele notificherò. Io mi ritrovai, passato l'Oglio, a Gazzolo, dove anche passò Gabriello Latioso il quale, o meglio il suo servitore, disse al Gattino il caso avvenuto, et esso lo riferì a me, che ne restai per un po' come istupidita, e poi risposi che mi dispiaceva assai, perché in questo caso era sicura la rovina del Cavaliere, et era stata una cosa fatta malissimo.

Poi domandai se il Cavaliere era prigioniero oppure in pericolo, ma nessuno sapeva come fosse la cosa. Procedendo per un'ora sulla via, intesi come il suddetto Cavaliere era fuori di pericolo, del che sommamente mi rallegrai, perché a dire il vero del male suo avrei avuto dispiacere.

Poi incontrammo alcuni viandanti venuti da Mantova, che dissero che quella terra giubilava tutta per le cose successe, parendole di essere liberata da chi sempre procurava la sua distruzione. Ai quali risposi che questo è un uso comune, di rallegrarsi del male di un nemico, e che comunque i popoli non sanno quello che vogliono; e su questo si dissero molte parole; e interrogata molte volte dal Gattino, se io ne sapevo qualcosa, gli feci intendere con solenne giuramento di no, che è la verità, e lui, che è nelle mani di Vostra Eccellenza, ne può rendere testimonianza, e chi vuole sostenere il contrario parla da traditore, e se io fossi uomo, così come son donna, sarei disposta al confronto con chiunque.

Quanto al fatto che Vostra Eccellenza dica che mi castigherà dei miei errori, non voglio altro giudice che voi stesso, perché se intenderà le mie ragioni non temo che non mi debba riconoscere per quella servitrice vera che gli sono, dolendosi della cattiva opinione avuta di me.

Io non commisi mai errore alcuno contro Vostra Eccellenza, tanto quanto farei con quello che fu mio signore, e Le auguro ogni bene né più né meno che a lui, e poiché egli è nel luogo che è, al suo posto ho sostituito Vostra Eccellenza, in cui sola ho la mia speranza, e senza la grazia della quale non vorrei più vivere, e Le giuro che dopo che intesi la sua cattiva opinione verso di me, non ho mai avuto bene, né lo avrò se non saprò di essere restituita nella solita grazia.

Vostra Eccellenza dunque mi ci rimetta, con la sua solita clemenza, né voglia avere adesso il nome che mai non ebbe, di crudele, e soprattutto contro una donna che gli è più che schiava; e invero, succedendo le cose di qua come spero, so che potrò dire le mie ragioni et essere capita, et in ogni modo vorrò venire alla presenza di Vostra Eccellenza per oppormi ad ogni traditore che dica male di me, perché lo dicono solo quelli a cui dispiace che Lei abbia tanti servitori, e tanto più della sorte di tutta la mia casa.»

Non sappiamo in che termini il Gonzaga rispose a Cecilia. Quanto al Cavaliere, fu stanato e condotto prigioniero a Mantova, sotto minaccia di morte, ma godeva di così alte raccomandazioni che il marchese poté condannarlo solamente al bando perpetuo, per non inimicarsi tutti i potenti, a cominciare dal papa.

Nel frattempo, la famiglia Bergamini era aumentata; nacquero infatti almeno quattro figli maschi: Gerolamo, Francesco, Ascanio e Giovanni Pietro. Le difficoltà economiche indussero Cecilia, nel 1508, a tentare di ottenere i mille ducati previsti dal testamento paterno, che i fratelli non le avevano mai versato: indirizzò una petizione all'amministrazione francese, ma non risulta che le fosse mai risposto.

La situazione si rovesciò quando il papa Giulio II, preoccupato per lo strapotere francese in Italia, di cui era in parte responsabile avendo aiutato Luigi XII a sconfiggere Venezia, promosse una lega antifrancese, la Lega Santa, cacciando Luigi dal Milanese. Fu deciso di rimettere sul trono uno Sforza: Massimiliano, primogenito del Moro, che era stato allevato in Germania insieme al fratello minore Francesco. Le truppe svizzere, determinanti nella vittoria, prima di consegnare le chiavi di Milano nelle mani del nuovo duca, pretesero in cambio una fetta di Lombardia, trasformata in canton Ticino.

Alla fastosa entrata in città del giovane duca, Cecilia si trovava sicuramente in prima fila, fiera dell'onore toccato a suo figlio Cesare, ventenne: sfilava accanto al fratellastro, portandogli la spada.

Ai Bergamini furono restituiti i possedimenti confiscati e probabilmente anche il palazzo Dal Verme.

Sono questi gli anni rievocati dal Bandello, quando le nobili famiglie milanesi riassaporavano godimenti raffinati ed eleganti, illudendosi di restaurare un irripetibile splendore.

I momenti difficili non erano passati senza lasciare traccia. L'ansia e i disagi erano forse alla base della «debolezza di stomaco» che Cecilia, secondo il Bandello, andava a curare alle terme di Acquario. Temprata dalle avversità e dallo scorrere degli anni, che rendeva meno fulgida la sua celebre bellezza, la contessa Bergamini arrivò a sublimare la sua ricerca di stile in una nuova passione, la poesia. Sempre sicura di sé e dei propri desideri, volentieri leggeva e faceva leggere in pubblico, come si vede nelle *Novelle*, i suoi componimenti. La testimonianza del Bandello è avvalorata dalle tracce di un'attiva corrispondenza da lei intrattenuta con i più noti letterati del tempo: il 22 maggio 1512, ad esempio, inviava un suo sonetto a Gian Giorgio Trissino.

Il rinnovato dominio sforzesco non dava però alcuna garanzia di solidità, non solo per le avverse circostanze politiche, ma anche per le manchevolezze del giovane duca, a proposito del quale i giudizi degli storici contemporanei sono unanimemente sfavorevoli.

«Duca di Milano posticcio» lo definisce Machiavelli. Secondo Francesco Vettori era incapace di idee proprie: «Si lascia portare da questa sua fortuna a balzelloni e aspetta quello che fanno gli altri». Il Guicciardini dipingeva una situazione senza speranza: «Giovane, nuovo, senza arme, senza denari, di poco governo».

L'oratore Soardino, testimone dello stile di vita del duca, scriveva a Isabella d'Este: «Fa la più strana vita del mondo, pochi ponno avere udienzia, se leva a ore desnove (alle tredici), mangia alle ventidue (le quattro del pomeriggio) e poi, quasi del tempo che sta levato, sta recluso e non fa niente». Più che non far niente, secondo il cronista milanese Giovanni Andrea Prato, si buttava con foga tutta sforzesca nei piaceri «de conviti, de ballo et de altro che non scrivo, che era una cosa molto biasimevole».

Il suo trono era inoltre malfermo perché, come diceva il Guicciardini, «il ducato era esausto e taglieggiato» dalle continue esazioni, dovute alle esorbitanti richieste degli svizzeri che esasperavano la popolazione, cosicché il duca era «odiato da tutti i sudditi sua».

Nel 1514 morì Luigi XII e salì al trono il giovane Francesco I, ben determinato a recuperare Milano.

Per assicurare la difesa gli svizzeri, veri padroni del ducato, pretesero tali somme che Massimiliano dovette imporre una taglia di trecentomila ducati per le spese di guerra, provocando, nel giugno del 1515, una sollevazione popolare.

La prepotenza dell'artiglieria francese sbaragliò gli svizzeri a Melegnano: prendendo atto della inferiorità del proprio sistema militare di fronte alle nuove tecnologie belliche, da allora la Dieta Federale svizzera optò per la neutralità perpetua. Francesco I offrì a Massimiliano una pensione di trentaseimila ducati annui con l'obbligo di vivere in Francia e lo Sforza accettò, lasciando il ducato l'8 ottobre.

Il ritorno dei francesi trovò Cecilia in lutto. L'anno prima era morto il figlio Cesare, e nel 1515 il marito Ludovico.

Le fu nuovamente tolto il palazzo Dal Verme, assegnato al senatore Sebastiano Ferreri, direttore generale delle Entrate. Il francese Pasquier de Moynes, arrivato a Milano al seguito di Francesco I, descrivendo con sbalordita ammirazione i più bei monumenti della città, nominava anche il palazzo Dal Verme e il bellissimo cortile affrescato con personaggi della storia antica e le imprese di Francesco Sforza, «quando aveva conquistato diverse città e parti del Ducato occupate dai Veneziani e quando aveva sposato Bianca Maria Visconti, dal quale matrimonio era nato Ludovico il Moro». Aggiungeva però il de Moynes, ovviamente sostenitore dei diritti ereditari degli Orleans, che da tale matrimonio non era derivato agli Sforza alcun diritto legale sul ducato.

Cecilia visse da allora quasi sempre nel castello di san Giovanni in Croce. Costruito nel 1407 dal signore di Cremona Gabrino Fondulo, era stato assegnato nel 1486 al conte Giovanni Pietro Carminati come gratifica per i suoi servizi agli Sforza.

Nella seconda metà del Quattrocento, grazie alla stabilità politica assicurata da Francesco Sforza con la sua Lega italica, era venuta meno la funzione difensiva dei castelli disseminati sul territorio: intanto la cultura umanistica aveva individuato nella villa di campagna la sede ideale per rinnovare il rappporto tra uomo e natura, vissuto in un *otium* intellettualmente operoso. Così gli aristocratici riqualificarono le tetre fortezze alleggerendole con aerei loggiati, colorandole di affreschi, incorniciandole di giardini: anche Cecilia aveva convinto il marito Ludovico Carminati, il Bergamino, a trasformare il castello di san Giovanni in Croce secondo le nuove esigenze residenziali della villeggiatura, aprendo nel lato sud, il più esposto al sole, finestre leggiadre e spaziose.

Vivendo ritirata ma non in disarmo, Cecilia mantenne i contatti con il mondo artistico attraverso la corrispondenza: nel 1515 ad esempio, Leonardo da Vinci annotava nel diario di aver ricevuto dalla sua «divina e amantissima» Cecilia una lettera «suavissima».

A Milano il ritorno dei francesi era stato accolto con la speranza di qualche sgravio fiscale, ma se il re Francesco I diede prova di buona volontà stanziando diecimila scudi annui per opere di pubblica utilità, il governatore Lautrec divenne famigerato per le sue estorsioni: taglie, confische e torture piombarono sui cittadini. Il Castello divenne teatro di atroci esecuzioni, come quella di una presunta strega, Isabella Lampugnani, arsa sul rogo nel 1519. Fu perfino accusato di tradimento il vecchio maresciallo Trivulzio, che dovette recarsi in Francia per discolparsi davanti al re, morendo durante il viaggio.

Ma il nuovo imperatore Carlo V d'Asburgo, salito al trono nel 1519, non aveva intenzione di lasciare Milano al rivale Francesco I, contro il quale ingaggiò un conflitto che si sarebbe trascinato per generazioni. Scacciati i francesi, nell'aprile del 1522 Carlo V rimise sul trono uno Sforza: Francesco II, fratello minore di Massimiliano, che restava confinato in Francia, dove sarebbe morto nel 1530.

Per tre volte i francesi ritentarono l'assalto a Milano e la terza volta, nel 1524, riuscirono a riprendersi la città, saccheggiandola orribilmente. Francesco I non seppe però gestire la vittoria, lasciando il tempo alle truppe imperiali di riorganizzarsi, mentre lui si accaniva inutilmente all'assedio di Pavia, dove fu sconfitto e preso prigioniero, il 24 febbraio 1525.

Allarmati per la schiacciante vittoria di Carlo V e per lo smisurato potere che gli veniva dall'assommare, oltre alla corona imperiale, quella di Spagna e di Borgogna, tutti i suoi avversari si coalizzarono nella Lega di Cognac per ridimensionarlo: la Francia, il re d'Inghilterra Enrico VIII, il papa Clemente VII, Venezia, Firenze e pure il duca di Milano, desideroso di governare autonomamente, scrollandosi di dosso il protettorato imperiale.

A causa della sua adesione alla Lega, lo Sforza si dovette asserragliare nel Castello, assediato dalle armate di Carlo V. Tenace e coraggioso, non indegno epigono dell'omonimo capostipite, Francesco II resistette per quasi un anno, coadiuvato da insurrezioni popolari che mettevano in difficoltà lanzichenecchi e spagnoli: «Tutti erano d'un animo de metter la vita e la roba per defensione della patria», scriveva il cronista milanese Marco Burigozzo.

Ma l'esercito imperiale riuscì ad avere la meglio e Francesco II il 24 luglio 1526 dovette cedere il Castello, con l'onore delle armi, rifugiandosi a Como.

La guerra durò fino al 1529, quando l'imperatore, accordatosi col papa, ritirò le armate dall'Italia, devastato terreno di scontro, permettendo allo Sforza di rientrare a Milano, dietro pagamento di un iperbolico risarcimento di guerra. Per legarlo maggiormente a sé, Carlo V diede in moglie a Francesco II la propria nipote Cristiana, figlia del re di Danimarca e di sua sorella Elisabetta.

Per festeggiare degnamente l'arrivo della sposa, il 3 maggio 1534 i milanesi, decimati e sfiniti per le pestilenze e le carestie che avevano aggravato il già opprimente carico delle dominazioni straniere, mobilitarono le loro ultime risorse, rinnovando i fasti degli archi trionfali, dei drappi e dei festoni decorativi sul percorso del corteo.

Anche il Castello era stato addobbato sontuosamente, le pareti rivestite di velluto e broccato, le porte sormontate da bassorilievi marmorei con gli stemmi di Milano e della Danimarca. Bagliori opachi, che facevano presagire l'imminente decadenza.

Cristiana aveva appena quattordici anni, ancora pochi per concepire l'atteso erede e Francesco, malandato in salute, forse tisico, non aveva abbastanza tempo davanti a sé. Morì il primo novembre del 1535, e Carlo V aggiunse il ducato di Milano al suo sterminato impero.

Cecilia Gallerani non sopravvisse a lungo alla dinastia sforzesca: moriva nel 1536, a sessantatré anni, un'età ragguardevole per i tempi. Fu probabilmente sepolta nella cappella della famiglia Carminati nella chiesa di San Zavedro, a San Giovanni in Croce.

Uscita dal labirinto dei suoi giorni terreni, si consegnava alla memoria storica in un quadro e in un libro: la *Dama con l'ermellino* di Leonardo e le *Novelle* del Bandello. Il primo ha reso immortale e magica la sua appassionata giovinezza, il secondo distilla la fragranza di una donna adorna di grazia e intelligenza, vivido fiore del Rinascimento.

# BIBLIOGRAFIA

AA.VV. *Gli Sforza a Milano*, Milano 1977

AA.VV. *Leonardo a Milano*, Milano 1982

AA.VV. *Leonardo. La dama con l'ermellino* (catalogo della mostra), Milano 1998

AA.VV. *Santa Maria delle Grazie*, Milano 1983

AA.VV. *Tessuti serici italiani* (catalogo della mostra), Milano 1983

Bandello M. *Novelle*, Milano 1990

Beltrami L. *Guida storica del castello di Milano*, Milano 1894

*La vita nel castello di Milano al tempo degli Sforza*, Milano 1900

Bologna G. *Il castello di Milano*, Milano 1986

Cappelletti Butti J. *Isabella d'Aragona Sforza*, Milano 1984

Caroli F. *Leonardo. Studi di fisiognomica*, Milano 1991

Calvi F. *Famiglie notabili milanesi*, Milano 1884

Cipolla C. *Storia delle Signorie Italiane dal 1313 al 1530*, Milano 1881

Cognasso F. *L'Italia nel Rinascimento*, Torino 1965

Corio B. *Storia di Milano*, Milano 1503

Giulini G. *Memorie spettanti alla storia, al governo ed alla descrizione della città e della campagna di Milano ne' secoli bassi*, Milano 1775

Litta P. *Famiglie celebri d'Italia*, Milano 1968

Lopez G. *Festa di nozze per Ludovico il Moro*, Milano 1976

*La roba e la libertà*, Milano 1982

*Moro! Moro!*, Milano 1992

Malaguzzi Valeri F. *La corte di Ludovico il Moro*, Milano 1913-23

Mezzanotte P., Bascapè G.C. *Milano nell'arte e nella storia*, Milano 1968

Motta E. *Nozze principesche nel Quattrocento*, Milano 1894

Nulli A. S. *Ludovico il Moro*, Milano 1929

Osio L. *Documenti diplomatici tratti dagli archivi milanesi*, Milano 1864

Pedretti C. *La dama con l'ermellino come allegoria politica*, in «Studi politici in onore di Luigi Firpo», Milano 1990

Perogalli C. *Castelli della Lombardia*, Milano 1969

Perria A. *I terribili Sforza*, Milano 1970

*Passioni di palazzo*, Milano 1981

Santoro C. *Gli Sforza*, Milano 1968

Rio A. F. *Leonardo e la sua cerchia*, Milano 1856

Schiapparelli A. *Leonardo ritrattista*, Milano 1921

Uzielli G. *Leonardo da Vinci e tre gentildonne milanesi del secolo XV*, Pinerolo 1890

Verga E. *Storia della vita milanese*, Milano 1931

Vincenti A. *Castelli viscontei e sforzeschi*, Milano 1981

Visconti A. *Storia di Milano*, Milano 1945

# RINGRAZIAMENTI

Desidero ringraziare, per la disponibilità e la competenza con cui hanno coadiuvato le mie ricerche, la dott.ssa Elisabetta Ferrari, direttrice dell'Archivio di Stato di Mantova, e il dottor Giuseppe Trenti, vice direttore dell'Archivio di Stato di Modena.

# AVVERTENZA

Le citazioni sono state in parte modificate nella grafia per facilitarne la lettura.

# INDICE

BUR
Periodico settimanale: 2 luglio 2003
Direttore responsabile: Evaldo Violo
Registr. Trib. di Milano n. 68 del 1°-3-74
Spedizione abbonamento postale TR edit.
Aut. n. 51804 del 30-7-46 della Direzione PP.TT. di Milano
Finito di stampare nel giugno 2003 presso
il Nuovo Istituto Italiano d'Arti Grafiche - Bergamo
Printed in Italy

ISBN 88-17-10713-1